Comment acheter
ma première
propriété

condo • maison

Les Éditions Transcontinental inc.
1100, boul. René-Lévesque Ouest
24e étage
Montréal (Québec) H3B 4X9
Tél. : (514) 392-9000
1 800 361-5479

Pour connaître nos autres titres, tapez **www.livres.transcontinental.ca**. Vous voulez bénéficier de nos tarifs spéciaux s'appliquant aux bibliothèques d'entreprise ou aux achats en
gros ? Informez-vous au **1 866 800-2500.**

Distribution au Canada
Les Messageries ADP
2315, rue de la Province, Longueuil (Québec) J4G 1G4
Tél. : (450) 640-1234 ou 1 800 771-3022
adpcommercial@sogides.com

Données de catalogage avant publication (Canada)
Provencher, Martin
Comment acheter ma première propriété
(Collection Coup de pouce)
ISBN 2-89472-258-3

1. Habitations - Achat. I. Titre. II. Collection.

HD1379.P76 2004   643'.12   C2004-941443-7

Révision : Sabine Auguste
Correction : Julie Robert
Photo de l'auteur en couverture arrière : Paul Labelle photographe © 2004
Mise en pages et conception graphique de la couverture : Studio Andrée Robillard

Imprimé au Canada
© Les Éditions Transcontinental, 2004
Dépôt légal — 4e trimestre 2004
3e impression, mai 2006
Bibliothèque nationale du Québec
Bibliothèque nationale du Canada

ISBN 2-89472-258-3

Nous reconnaissons, pour nos activités d'édition, l'aide financière du gouvernement
du Canada, par l'entremise du Programme d'aide au développement de l'industrie
de l'édition (PADIÉ), ainsi que celle du gouvernement du Québec (SODEC), par l'entremise du Programme «Aide à la promotion».

Martin Provencher

Comment acheter
ma première
propriété

condo • maison

Les Éditions
Transcontinental

À ma mère, Aline, qui malgré son départ
se tient toujours à mes côtés

Remerciements

Écrire et publier un livre représente une somme de travail considérable et requiert les efforts, les compétences, le temps et le professionnalisme d'une foule de gens.

J'aimerais remercier en premier lieu ma douce partenaire de vie, Manon Labelle, pour son appui indéfectible, sa confiance en ce que j'entreprends, son aide de tous les instants et son merveilleux travail de relecture et de recherche. Je remercie également mes frères, qui sont mes amis proches, Gilles, Pierre et Danny, ainsi que leur famille; j'ai toujours pu compter sur eux, peu importe le projet ou la situation. Par leur ténacité et leur travail constant, ils sont devenus des modèles pour moi. Merci à Réal, Jocelyne et à leurs fils pour leurs encouragements. Je tiens à remercier ma belle-famille, Philip et Roxanne, Luc et Marie-Josée pour leur soutien et en particulier Mado, pour sa grande générosité.

Merci à mes bons amis, toujours présents dans ma vie malgré le temps qui passe et avec qui j'ai toujours autant de plaisir à me retrouver : Yves Gingras, Steve Grégoire et Thierry Bourque de même que Yves Cormier, Pierre Toutant et Lynn Munger, Gérald Garceau, Patrice Hamel, Raphael Scheiben, Laurent Corbin, Mario Samson, Jean-Pierre Guay, M. et Mme Lévesque, Claude et Martine Morissette ainsi que toute la famille

Patoine. Merci également à Gilles et Suzanne Parent, Daniel Turcotte et Stanley Haché, des gens généreux de leur temps et de leurs conseils, et à Jacqueline Girard-Philippe pour sa gentillesse et son minutieux travail de relecture. Merci aussi à mon ami Jean Bureau qui, malgré les soubresauts du destin, a toujours gardé le moral et le sourire.

Toute ma reconnaissance va à mon éditeur, Jean Paré, et à son équipe, particulièrement Marie-Suzanne Menier, pour leur excellent travail d'édition ainsi que pour leur grand professionnalisme.

Mes remerciements les plus sincères également à mes amis et conseillers : Alain Labrecque, de Clôtures Cambrek, Claude Caron, du bureau de comptables agréés Verrier, Paquin et Hébert, et Daniel Hébert, de Publi Design. Ces trois hommes d'affaires de Trois-Rivières que j'estime beaucoup ont été les premiers à m'accorder leur confiance et leur appui. Je leur en suis à la fois redevable et reconnaissant. Merci aussi à Marc Boivin et Jacinthe Ouellette, tous deux de l'Université du Québec à Trois-Rivières. J'aimerais également souligner la participation de mes partenaires financiers, grâce à qui je peux rejoindre encore plus de gens intéressés à acquérir une première propriété. Un merci tout spécial à Philippe Lampron et Martin Dugré, d'Acolyte Communication, pour la réalisation du site Internet.

Merci enfin à tous ceux dont les noms ne figurent pas ici mais qui ont contribué à leur façon à la réalisation de ce livre.

À tous, merci.

Table des **matières**

 # Un rêve réalisable

Voici le livre qui vous donnera le coup de pouce nécessaire pour devenir enfin propriétaire. Lorsque vous en aurez achevé la lecture, vous n'aurez plus d'excuse pour remettre à l'an prochain ce beau projet !

Pour vous aider à relever ce défi, j'ai conçu cet ouvrage comme un guide pratique, dont l'objectif est de démystifier les étapes menant à l'acquisition d'une première propriété, qu'il s'agisse d'un condo ou d'une maison unifamiliale.

Je m'amuse dans le domaine de l'immobilier depuis près de 20 ans. J'ai donc souvent eu l'occasion de décortiquer la démarche. En partageant mon expérience, j'espère vous donner l'envie de réaliser votre rêve.

Tous ceux qui songent à l'achat d'une première propriété ont des questions, des doutes, des appréhensions. Dites-vous bien que vous n'êtes pas seul dans votre situation ! Il est normal d'avoir peur lorsqu'on entend dire que «s'acheter une maison représente l'investissement d'une vie» ! N'ayez crainte, personne ne va mourir, peut-être juste pester en cours de route...

En psychologie, les trois besoins fondamentaux de l'être humain sont se nourrir, se vêtir et se loger. Ce livre répond donc à l'une de nos aspirations les plus profondes. Chaque année, des milliers de Québécois accèdent à la propriété. Pourquoi pas vous ? Je vous l'ai dit : vous n'avez plus d'excuse. Réveillez le proprio qui sommeille en vous !

Bonne lecture.

Chapitre 1

Cessez d'avoir peur, foncez !

Au printemps 1988, je me suis lancé dans l'achat d'un coin de terre en bordure du lac Joseph à Saint-Pierre-Baptiste, non loin d'Inverness. Je venais tout juste d'avoir 17 ans. À l'époque, bien que je ne possédais pas encore mon permis de conduire, la préposée à la clientèle de l'institution financière a cru que mon retrait allait servir à l'achat d'une voiture. Toutes mes économies, amassées en travaillant au centre jardinier, chez des cultivateurs de la région, au garage du village et même comme élève-pilote de planeurs chez les cadets de l'air, ont été consacrées à ce premier achat immobilier. J'ai par la suite vendu mes parts à mon oncle, qui lui-même a vendu le centre jardinier qu'il possédait pour devenir promoteur immobilier. C'est avec le profit de cette transaction que j'ai acheté ma première maison à Trois-Rivières.

En utilisant le principe du levier, j'ai ensuite acquis, en association avec d'autres personnes, une maison locative que nous avons revendue l'année suivante. Puis une maison de campagne, que j'ai rénovée et vendue pour acheter deux triplex. J'oubliais : en 1994, j'ai aussi vendu la première maison locative que j'avais habitée pendant mes études pour acheter deux triplex. Et ainsi de suite.

À 17 ans, quand j'ai décidé d'acheter ma première maison, j'ai dû faire face à la résistance de deux de mes frères, dont l'un avec qui je vivais alors. Habités par une bienveillance toute fraternelle, tous deux voyaient ce projet d'un très mauvais œil. Lorsque l'agent immobilier avec qui je faisais affaire communiquait avec moi, j'avais droit à un interrogatoire systématique de leur part. Je devais donc agir discrètement. Je suis même allé jusqu'à leur faire croire que j'avais abandonné mon projet.

Pendant la période de négociation, qui a duré environ trois semaines, les esprits se sont un peu calmés. Mais la tension s'est manifestée de nouveau au moment où j'ai annoncé à mes frères que la transaction était chose faite. J'étais propriétaire : mon rêve se réalisait enfin ! Une seule chose venait un peu entacher mon bonheur : ma famille doutait de mes capacités à faire des réparations et remettait mes aptitudes de propriétaire en question.

Ils me posaient avec insistance des questions du genre : « Qu'est-ce que tu vas faire si la tuyauterie éclate ? si l'électricité vient à manquer ? Et si quelque chose se brise ? Et si ?... Et si ?... Tu vas devoir engager quelqu'un à 45 $ l'heure. Avec quel argent vas-tu le payer ? »

Remarquez, ils n'avaient pas tout à fait tort de s'inquiéter. En effet, mes connaissances en immobilier étaient assez limitées, merci. Mais bon, il faut bien commencer quelque part. Depuis longtemps, je sais que l'être humain a une formidable capacité d'adaptation. J'étais convaincu que je surmonterais les problèmes, que je m'adapterais et trouverais des solutions. Et je n'en suis pas mort ! Des maisons, j'en ai acheté d'autres depuis. Dites-vous bien que si j'ai pu le faire si jeune, avec quelques économies, vous pouvez sûrement le faire aussi.

Étant le cadet de la famille, j'avais toujours tout fait *après* mes frères. Sans trop nous en rendre compte, nous étions devenus adultes, ce qui nous donnait la possibilité de réaliser beaucoup de choses.

Il s'agissait maintenant de choisir, chacun de notre côté, le domaine où nous voulions évoluer. Pour ma part, j'ai opté pour l'immobilier. Mes frères l'ont compris, et finalement tout est rentré dans l'ordre.

Vous allez réussir, c'est garanti !

Loin de moi l'idée de tomber dans la psychologie populaire. Ce n'est pas ma spécialité. Mais permettez-moi de faire une petite digression avant d'entrer dans le vif du sujet. Pour moi, **l'attitude et la façon de penser,** donc d'agir, sont déterminantes dans tout succès, qu'il s'agisse de réussir ses études, d'obtenir une promotion, de décider d'avoir des enfants ou d'acheter sa première propriété. Il faut croire en ce que l'on veut devenir, avoir ou réaliser. Comme Rosalre Desrosby l'écrit dans *En route vers le succès*, «le bonheur ne dépend pas des choses qui vous entourent mais de votre attitude face à ce qui vous arrive ; que ce soit bon ou mauvais». J'y crois dur comme fer.

Dès que vous aurez acquis la conviction que votre rêve est réalisable, les forces constructives qui vous entourent commenceront à agir dans le sens de vos pensées. Votre situation actuelle, aussi incroyable que cela puisse paraître, est le résultat de ce que vous avez pensé, imaginé et ressenti par le passé. Ce que vous êtes à l'intérieur — les pensées et les émotions que vous nourrissez — se matérialisent à l'extérieur. D'où l'importance de créer dans votre esprit les choses que vous désirez voir se réaliser dans votre vie, et d'éliminer les autres.

Vous voulez vraiment une maison ? Alors vous devez la visualiser en détail… et en couleurs, s'il vous plaît ! Mieux encore : imaginez-vous à l'intérieur de cette maison en train de faire ce que vous aimez. Quelle est la couleur des murs du salon, quel genre de lumière pénètre dans la cuisine, où est la salle de jeux si vous avez des enfants ou comptez en avoir ? Vous avez envie de jardiner et de planter des arbres ? Imaginez-vous en train de le faire. Vous rêvez aussi d'une piscine ? Plongez dedans en pensée ! Vous avez compris le principe.

En bref, **n'entretenez que des pensées constructives.** Votre subconscient ne fait pas la différence entre ce que vous voulez pour vous et ce que vous souhaitez pour les autres, pas plus qu'il ne distingue vos peurs de vos désirs. Il poussera la réalisation de votre émotion la plus forte. Alors, arrêtez de vous torturer en pensant au fait que vous n'avez pas encore entamé les démarches de financement ou à l'éventuel trou dans la toiture (dont vous n'êtes pas encore responsable), sinon c'est exactement ce qui va se passer.

Utilisez votre subconscient de façon intelligente. Imprégnez-le de ce que vous désirez, que ce soit concrètement — en visitant, par exemple, des propriétés similaires à celle que vous recherchez — ou par la visualisation — en vous voyant propriétaire, ainsi que je l'ai fait moi-même. Imaginez que ce que vous désirez se concrétise et ressentez les choses telles que vous aimeriez qu'elles soient. Soyez le plus précis possible dans la constitution de vos images mentales en prêtant attention à chaque détail, forme, couleur, perspective spatiale, texture et odeur.

Je vous donne un exemple. Lorsque je rêvais à ma première maison, je me voyais rentrer chez moi dans un quartier dont les rues portaient des noms d'arbres majestueux. Après avoir garé l'auto dans l'entrée, je m'arrêtais pour admirer les magnifiques annuelles rouges et bleues que j'avais plantées avec ma copine dans des pneus peints en blanc servant de plates-bandes. (Je vous ai bien eu, là ! Mais non : la maison était sertie d'un bel aménagement paysagé composé de vivaces et d'arbustes, dont celui qui produit de petits fruits orange dont les oiseaux raffolent.)

Une fois la porte franchie, je lançais ma veste sur le fauteuil inclinable en cuir bourgogne. Je mettais ensuite un CD des Beastie Boys (pardonnez-moi, c'est ce que j'écoutais à l'époque) en enlevant mes chaussures. Je pouvais sentir la douceur du plancher de bois franc, verni pâle et lustré, que j'avais fait poser dans chaque pièce, à l'exception de la cuisine et la salle de bains dont les sols étaient recouverts de dalles en céramique. La couleur terre brûlée faisait ressortir à merveille le bois des meubles anciens sur lesquels mes livres et mes plantes vertes étaient harmonieusement disposés.

Voilà ce que je veux dire par visualiser !

Dans mes rêves, il était inconcevable que ma première maison ressemble à autre chose. Travaillez en ce sens. Vous vous voyez dormir dans une chambre deux fois plus grande que celle de votre logement actuel ? N'en démordez pas. Vous rêvez d'une cuisine pourvue d'un bel îlot ? Ne visitez que les maisons qui en possèdent un ou qui offrent l'espace nécessaire pour en installer un. Vous en avez assez de votre salle de bains sans fenêtre ? Rayez de votre liste les maisons où la lumière ne pénètre pas suffisamment dans cette pièce. Tout au long de votre recherche, concentrez-vous sur ce qui vous plaît. Les compromis, vous les ferez plus tard… au besoin !

À bas le pessimisme

Beaucoup de gens ne se rendent pas compte de l'impact négatif du pessimisme sur un projet. Combien de rêves ont été détruits, de façon indirecte et insidieuse, par des blagues, ou de façon directe, par des actes ou des paroles ?

Vous vous doutez qu'à 17 ans, sans expérience ni revenu stable, j'ai à peu près tout entendu. Imaginez un peu la réaction des gens quand je leur parlais de mon projet d'achat d'une maison alors que j'étais encore étudiant au cégep. Ils savaient bien que je n'avais pas gagné au loto ou reçu d'héritage… Un notaire avec qui je faisais affaire avait même prédit à mon agent d'immeubles que j'allais faire faillite ! Ça n'est pas arrivé et ça n'arrivera pas.

Trop souvent, sous prétexte de vouloir nous «protéger» (ou pour ne pas avoir à remettre en question leur façon d'agir ou de penser), nos proches nous incitent à nous maintenir dans l'inaction par leurs critiques et leurs sarcasmes. Comme les premières maisons que j'ai achetées étaient des maisons à revenus, mon manque d'expérience alimentait la critique. Je suis un peu naïf, car, par la suite, quand j'ai décidé d'acheter une maison de campagne dans le seul but de l'habiter, je me suis dit : voilà enfin une situation simple et normale où tout le monde sera content. Erreur ! Mes proches, qui avaient eu peur que je ne réussisse pas à louer mes autres maisons, craignaient à présent que je n'arrive pas à effectuer les paiements d'une maison sans revenu de location ! Conclusion : quoi que vous fassiez, il y aura toujours quelqu'un pour vous mettre des bâtons dans les roues. Si vous n'essuyez aucune critique, c'est que vous n'avez rien entrepris !

Il vous faudra également vous débarrasser de toutes les raisons qui vous font douter de vos chances de trouver la résidence qui vous convient, qu'elles émanent de vous ou de votre entourage. J'ai eu ma part de craintes, n'allez pas croire le contraire. L'achat de ma première maison a été une véritable source d'insomnie. Tous les scénarios d'horreur me sont passés par la tête : la difficulté de trouver des locataires ou le fait de ne pas être payé, l'obligation d'effectuer une réparation majeure et ne pas avoir l'argent nécessaire, avoir mal compris une clause importante du contrat pendant la lecture de l'acte chez le notaire, etc. Rassurez-vous, la pelouse n'est *vraiment* pas plus verte chez le voisin.

Il est cependant important de comprendre que la peur est une émotion normale et que le fait de ne pas la ressentir peut être dangereux. Elle peut en effet vous éviter de commettre une erreur ou, au contraire, vous maintenir dans le *statu quo*.

Vous devez donc conserver un équilibre, souvent précaire, entre la prise de risques et le désir de vous y soustraire. Je n'ai pas accepté toutes les transactions qui me sont passées sous le nez. Je ne suis pas un kamikaze, quand même! Quand le projet me semble trop risqué, je refuse d'y souscrire, que j'aie peur ou pas. Par contre, je ne connais personne qui ait réussi sans avoir commis un certain nombre d'erreurs. J'ajouterais même que ce sont souvent ces erreurs, jugées irréparables par certains, qui ont ensuite permis à d'autres, plus créatifs, d'atteindre le succès.

Pourquoi ne serait-il pas possible pour chacun de se réaliser pleinement comme individu tout en respectant les membres de son entourage? Ayez confiance en vous et osez! Faites preuve de créativité et de ténacité. Servez-vous de votre intuition tout en conservant une part d'objectivité. Devenez propriétaire. C'est normal, naturel et moins risqué que vous ne le pensez.

Chapitre 2

Donnez-vous les moyens
de vos ambitions

Rêver à la maison idéale est excitant. Cela fait peut-être même un moment que ce projet vous trotte dans la tête. Il s'agit maintenant de passer du rêve à la réalité. La première étape consistera à **évaluer votre situation financière.** C'est ainsi que vous pourrez déterminer la mise de fonds dont vous disposerez, et donc le montant du prêt hypothécaire qu'il vous faudra obtenir, ou encore le prêt destiné à la rénovation et la marge de crédit que votre institution financière sera prête à vous consentir. Par-dessus tout, une bonne connaissance de votre situation financière vous assurera une tranquillité d'esprit après l'acquisition de la propriété, car vous aurez fait **des choix qui correspondent à votre capacité de paiement.**

Mais avant de trop rêver, revenons sur terre un instant. Vous avez des dettes, peu ou pas d'économies et vous oubliez parfois (encore cette sacrée mémoire sélective) d'effectuer à temps le paiement sur votre carte de crédit. Ce n'est pas un bilan très reluisant, mais dites-vous qu'il y en a de bien pires. Chose certaine, si vous vous reconnaissez dans cet exemple, la démarche sera un peu plus compliquée.

Mais il n'y a rien d'impossible. Si cela peut vous consoler, je peux vous dire que des cordonniers mal chaussés, il y en a beaucoup aussi dans le milieu financier…

L'achat d'une maison a pour but d'améliorer votre qualité de vie et, à plus long terme, votre situation financière. Toutefois, aucun de ces objectifs ne peut être atteint si vos obligations dépassent vos moyens. Voilà pourquoi je vous invite à prêter une attention toute particulière aux éléments présentés dans ce chapitre.

Bien connaître sa situation financière exige un effort. Personne ne devrait se contenter d'un rapide coup d'œil de temps à autre à son relevé de compte bancaire. Heureusement, il existe des outils simples qui aident à y voir clair. Je vous en présente deux dans ce chapitre : **la grille de calcul des revenus et dépenses** et **le bilan personnel.** J'aime bien la grille, car elle donne une bonne idée de ce qui entre et sort du porte-monnaie. C'est comme dans une fourmilière : il y a des fourmis qui apportent des vivres, et d'autres qui les consomment à l'intérieur. Pour connaître l'état des réserves pour l'hiver, il faut arrêter la circulation quelques minutes et prendre une photo de ce qui est accumulé.

Calculez vos revenus et dépenses

Je sais que beaucoup d'entre vous détestent parler et entendre parler de finances personnelles. Mais avant de passer à la prochaine section de ce livre, laissez-moi vous expliquer en quoi cet exercice peut vous être utile. Savez-vous que bien des gens font faillite au Québec sans même savoir pourquoi ? Un beau jour, ils se retrouvent sans le sou et ne comprennent absolument pas ce qui a bien pu se passer. Ça vous semble un peu tiré par les cheveux ? C'est pourtant la triste réalité.

Une de mes amies travaillait à son compte comme coiffeuse. Elle avait une excellente clientèle et gagnait apparemment beaucoup d'argent ; elle-même ne savait pas combien exactement. Pourquoi ? Parce qu'elle ne s'était jamais donné la peine de faire l'exercice proposé ici. Elle vivait à cent à l'heure et dépensait son argent encore plus vite qu'elle le gagnait. Résultat : elle m'a appelé un beau jour pour me dire que son institution financière avait décidé de geler ses comptes et d'annuler ses prêts, y compris le prêt hypothécaire. Les prélèvements automatiques, c'est bien beau... tant qu'il y a de l'argent dans le compte !

Pour éviter ce genre de situation pour le moins désagréable, voire humiliante, je vous incite à remplir une grille de revenus et dépenses. Pour ce faire, il faut noter, chaque jour, les dépenses (grandes et petites) que vous aurez faites dans la journée. Un tout petit carnet qui se glisse dans le sac à main ou la poche du manteau fera l'affaire. Je sais, c'est ennuyeux et fastidieux, mais c'est le seul moyen de savoir où vont les millions que vous gagnez (et dépensez). L'idéal est de faire l'exercice pendant trois mois pour voir l'évolution de vos dépenses au fil des mois. Vous manquez de courage ? Vous trouvez l'exercice trop dur et abrutissant ? Faites-en l'essai durant un mois. Vous verrez, vous en apprendrez beaucoup sur vous-même.

À la fin de chaque mois, votre carnet sera rempli de chiffres et de notes (chaque revenu ou dépense doit être accompagné d'une note explicative). Le cortège de mots et de chiffres en question pourrait ressembler à ce qui suit :

REVENUS		DÉPENSES	
512 $	Salaire semaine 1	72 $	Chaussures pour le travail
8 $	Bouteilles consignées	14 $	Bouteille de vin
512 $	Salaire semaine 2	500 $	Loyer
68 $	Gain au 6/49	75 $	Hydro-Québec
512 $	Salaire semaine 3	116 $	Épicerie semaine 1
512 $	Salaire semaine 4	38 $	Resto avec Marc semaine 2
		99 $	Épicerie semaine 2
		41 $	Essence semaine 2
		144 $	Épicerie semaine 4
		61 $	Téléphone
		54 $	Télé par satellite
		48 $	Achat d'un grille-pain
		6 $	Tim Hortons semaine 4

Ces renseignements vous aideront ensuite à comptabiliser vos revenus et à les répartir le plus précisément possible entre vos dépenses et vos obligations financières. Grâce à la grille de calcul des revenus et dépenses (ci-contre), vous pouvez évaluer la part de vos revenus que vous consacrez à votre logement, ainsi que les diverses dépenses liées à votre maison, et déterminer votre capacité à rembourser votre future hypothèque.

Si vous partagez certaines dépenses (par exemple celles liées au loyer), n'inscrivez que la partie qui vous incombe.

REVENUS ET DÉPENSES

Revenus mensuels	$
Paie nette mensuelle	$
Intérêts de placements	$
Revenus de location	$
Allocations familiales	$
Autres revenus	$
Revenus mensuels (total)	**$**
Dépenses mensuelles	
Loyer	$
Électricité et chauffage	$
Entretien/réparations	$
Téléphone et abonnement au câble	$
Épicerie	$
Vêtements	$
Médicaments	$
Loisirs, sorties	$
Mensualité sur le prêt automobile	$
Assurances et immatriculation automobiles	$
Réparations, entretien et essence	$
Mensualité minimale sur le solde de la carte de crédit	$
Mensualité minimale sur le solde de la marge de crédit	$
Mensualité sur le prêt personnel	$
Mensualité sur le prêt étudiant	$
Assurances	$
Autres dépenses	$
Dépenses mensuelles (total)	**$**
Revenu mensuel net **(total des revenus mensuels – total des dépenses mensuelles)**	**$**

L'heure du bilan a sonné

Pour bien comprendre l'importance du bilan personnel, dites-vous que c'est une «photographie» de l'ensemble de vos avoirs ou, si vous préférez, de ce que vous possédez (l'actif) et du total de vos dettes (le passif). Votre bilan fournit l'un des trois résultats suivants :

1. *Un bilan positif.* Bravo ! Cela signifie que vous possédez plus d'argent que vous en devez. Plus le solde positif est important, plus il vous sera facile de rassembler la somme requise pour la mise de fonds. Cette dernière pourra aussi représenter un plus gros pourcentage de la valeur d'achat. Comme vous vous en doutez, le processus d'achat d'une maison est plus facile avec un bilan positif.

2. *Un bilan neutre.* C'est plutôt rare : un bilan neutre veut dire qu'une fois vos dettes soustraites à tout ce que vous possédez, il ne reste rien. Cela signifie que vous avez peut-être emprunté pour acheter ce que vous avez. Un bilan neutre peut être attribuable à certaines dettes (passif) — un prêt étudiant, notamment, ou une carte de crédit avec un solde à rembourser annulant la valeur d'autres biens (actifs), vos meubles, par exemple, lesquels sont payés. Un bilan neutre signifie aussi que vous n'avez aucune valeur qui vous appartienne, ni de valeur à donner en garantie. L'octroi d'un financement devient donc plus difficile, mais pas impossible.

3. *Un bilan négatif.* Voilà le genre de bilan que les institutions financières n'apprécient guère puisqu'il reflète une situation financière précaire. Les risques que vous ne puissiez remplir vos obligations après l'achat d'une maison sont donc plus grands. Un bilan négatif signifie que vous avez plus de dettes que de biens. Si vous vendiez tout ce que vous possédez pour liquider vos dettes, il vous resterait encore des dettes. Si c'est votre cas, vous avez intérêt à faire un grand ménage. Demandez une augmentation de salaire, trouvez un nouvel emploi plus payant ou augmentez vos revenus temporairement avec un deuxième emploi. Vendez la troisième télé et la

BILAN

Actif	
Solde du compte-chèques	$
Solde du compte d'épargne	$
Meubles	$
Ordinateur	$
Automobile	$
Assurance-vie (valeur de rachat)	$
Régime enregistré d'épargne retraite (REER)	$
Dépôts à termes	$
Certificats de placements garantis (CPG)	$
Actions	$
Obligations	$
Caisse de retraite	$
Autres actifs	$
Actif (total)	**$**
Passif	
Prêt automobile	$
Soldes impayés sur la carte de crédit	$
Marge de crédit	$
Prêt personnel	$
Prêt étudiant	$
Comptes à payer	$
Autres dettes	$
Passif (total)	$
Avoir net (total de l'actif – total du passif)	**$**

deuxième voiture, peut-être même la première. Déménagez dans un logement plus petit, moins cher, situé plus près de votre travail. Utilisez l'argent économisé pour réduire vos dettes. Faites un emprunt, un seul, pour rembourser le reste (consolidation de dettes). Stoppez les dépenses inutiles. La télé par satellite, vous savez, ce n'est pas obligatoire... Une fois votre situation financière redressée, votre «photo» vous permettra peut-être plus facilement d'acheter votre première propriété.

Besoin d'assainir vos finances ?

Si la grille et le bilan vous ont montré que votre situation financière n'est pas assez solide pour que vous vous lanciez dans l'achat d'une propriété, vous pouvez prendre des moyens pour l'améliorer.

Avec un peu de discipline, vous pourrez acheter votre maison plus rapidement puisque vous amasserez plus vite la mise de fonds tout en améliorant votre bilan, principalement en remboursant vos dettes. Une situation financière solide (c'est-à-dire un certain capital et peu de dettes) vous permettra d'économiser certains frais d'emprunt et des intérêts hypothécaires.

Par exemple, si votre mise de fonds est égale ou supérieure à 25 % du montant payé pour votre propriété, vous n'aurez pas besoin de contracter une assurance prêt, autrement obligatoire ; vous économiserez ainsi les frais d'ouverture de dossier chez l'assureur ainsi que la surprime versée à ce dernier. Vous paierez aussi beaucoup moins d'intérêt puisque votre emprunt sera moins élevé.

De plus, le coût que vous devez payer à l'institution financière sous forme d'une prime ajoutée au taux d'intérêt pour couvrir «le risque» est d'autant plus faible que votre bilan est fort, et vice-versa. En effet, les institutions financières majorent généralement le taux d'intérêt hypothécaire d'une fraction de pourcentage (par exemple, + 0,35 %) si votre bilan personnel et votre dossier de crédit ne sont pas des plus reluisants.

Voici quelques trucs susceptibles de vous aider à mettre de l'ordre dans vos finances.

1. *Payez vos dettes le plus rapidement possible.* Qui paie ses dettes s'enrichit ! Commencez par celles qui ont le plus fort taux d'intérêt. En général, il s'agit des soldes de cartes de crédit. Donnez-vous des objectifs. Par exemple : à Noël prochain, j'aurai entièrement remboursé le solde de ma carte Visa. Prenez le montant du solde de votre carte et divisez-le par le montant que vous pouvez économiser par mois (2 643,56 $ / 258 $ = 10 mois).

2. *Procédez à une consolidation de vos dettes.* Vous les regroupez ainsi en un seul prêt. Pour ce faire, additionnez l'ensemble de vos dettes. Faites ensuite une demande de prêt à votre institution financière correspondant à ce même montant. Indiquez bien que vous ne voulez pas *augmenter* votre crédit, mais bien *consolider* celui que vous avez déjà en un seul prêt. Fermez ensuite votre marge de crédit, détruisez vos cartes de crédit et cessez d'acheter tout ce que l'on vous propose. En réduisant vos dettes, vous bénéficiez en outre d'une économie de frais et, presque à coup sûr, d'intérêt. Il vous est alors plus facile de préparer un budget équilibré. Si vous voulez vraiment vous débarrasser de vos dettes au plus vite, calculez aussi le montant de l'ensemble des paiements que vous deviez faire avant la consolidation et… continuez à le verser. La différence entre le total de vos anciens versements et le nouveau paiement sur le prêt consolidé ira directement réduire le capital de votre dette. Et là, croyez-moi, ça va diminuer rapidement !

3. *Constituez un fonds d'urgence.* Celui-ci devrait représenter l'équivalent de trois à six mois de revenus familiaux nets. Je vous recommande d'ouvrir un compte spécial pour ce fonds et de demander à votre institution financière d'y effectuer des virements automatiques à chacune de vos paies. Une fois votre fonds constitué, vous pourrez continuer à l'alimenter et utiliser l'excédent pour rembourser plus rapidement vos dettes.

4. *Évaluez vos besoins réels.* Demandez-vous, avant d'effectuer un achat : « Ai-je vraiment besoin de cela ? » Si la réponse est « peut-être… pas vraiment, mais », abstenez-vous et trouvez plutôt une autre solution. Mettez-vous dans la tête que votre valeur, comme individu, n'a rien à voir avec ce que vous possédez ou ne possédez pas. Privilégiez l'être sur l'avoir. Comment ? Achetez ce dont vous avez réellement besoin. Un truc simple : n'achetez jamais rien le jour même. Si, une semaine plus tard, vous pensez toujours que cette chose vous est vitale, alors vous pourriez peut-être vous la procurer, mais usagée de préférence !

5. *Sachez quels sont vos plus gros postes de dépenses.* Prenez en note, au fur et à mesure, vos achats et vos dépenses. Reportez-vous au calepin de dépenses que vous avez utilisé lors de l'exercice pour remplir la grille de dépenses. Je sais que l'on peut faire dire n'importe quoi aux chiffres, mais si vous disposez d'un budget de 3 000 $ par mois et qu'une somme de 750 $ est engloutie dans le poste Restaurant, vous auriez avantage à apporter votre lunch au travail, non ? Vous saurez ainsi où va votre argent et quels correctifs apporter.

6. *Payez vos achats comptant.* Si vous n'avez pas réussi à économiser pour acheter un bien, comment ferez-vous lorsqu'on vous en exigera le paiement ? La réponse à cette question est souvent : en réempruntant. Vous tombez alors dans le cycle de l'endettement et payez inutilement des frais et des intérêts sur presque tout ce

que vous possédez. Ne tombez pas dans le piège des promotions du genre «Achetez un barbecue maintenant et n'ayez rien à payer avant un an».

Votre capacité d'emprunt

Votre capacité d'emprunt, évaluée par les institutions financières, vous renseigne sur deux points importants : le montant que vous pourrez emprunter et le degré de risque que vous représentez (du point de vue de votre régularité de paiement et de votre capacité d'effectuer les remboursements) aux yeux d'une institution financière. Votre capacité d'emprunt vous donne donc des indications sur le genre de propriété que vous pourrez acheter. Vous saurez également ce que l'on vous facturera en plus de votre taux d'intérêt en raison du «risque» que vous représentez.

Par exemple, votre institution financière, en tenant compte de vos revenus et de vos engagements financiers actuels, détermine le montant supplémentaire que vous pouvez assumer. Vous savez ainsi le montant que vous pouvez emprunter sous forme d'hypothèque, disons 114 000 $. Si vous avez 12 000 $ d'économies, vous pourriez alors acheter un condo ou une maison jumelée d'une valeur de 120 000 $ (114 000 $ sous forme de prêt hypothécaire, plus 6 000 $ de mise de fonds, représentant 5 % de comptant) et conserver 6 000 $ pour assumer une part des frais d'acquisition. Finalement, selon le «risque» que vous représentez à titre d'emprunteur pour l'institution financière, une majoration de taux pourra être ajoutée à celui affiché en succursale et appliquée au 114 000 $ de votre hypothèque.

La capacité d'emprunt dépend de plusieurs facteurs. Votre dossier de crédit est le premier point influençant la décision des prêteurs. C'est en quelque sorte votre dossier de bonne ou de mauvaise conduite en ce qui concerne le crédit. Tout le monde a une cote de crédit ; cette dernière est un indicateur de la façon dont vous avez géré vos affaires jusque-là. Rien ne sert de tenter de justifier les trois paiements que vous n'avez pu effectuer sur l'achat de votre divan l'été passé parce que... personne ne veut le savoir. Vous êtes un numéro avec une cote de crédit qui, elle, dépend de la qualité de votre dossier d'emprunteur. Voilà tout !

Avant d'entreprendre des démarches, je vous suggère de demander une copie de votre dossier de crédit. Pour quelques dollars (entre 15 $ et 22 $), vous pourrez l'obtenir auprès de votre institution financière ou directement des compagnies telles qu'Equifax, TransUnion du Canada ou Les Bureaux de Crédit du Nord Inc. Prenez soin de demander la version « lisible », car souvent le dossier de crédit est rempli de codes incompréhensibles pour le commun des mortels.

Si votre dossier contient une erreur ou si vous n'êtes pas en accord avec certaines informations qu'il contient, il vous est possible de faire apporter des corrections. L'exemple le plus courant à ce propos concerne les trois périodes de « grâce » de six mois accordées par le gouvernement du Québec avant le début des remboursements des prêts étudiants sous certaines conditions. Pour les compagnies d'évaluation de crédit, ces reports, malgré les ententes, étaient considérés comme autant de manquements à vos obligations de remboursement.

La mise de fonds

Pour constituer la mise de fonds requise pour l'achat d'une maison, vous pouvez avoir recours à plusieurs sources. Voici les cinq plus courantes.

1. Les économies personnelles

C'est évidemment la situation idéale. Vous ne dépendez alors d'aucune source de financement extérieure et n'avez donc pas besoin d'aller quémander de l'argent à qui que ce soit pour constituer votre mise de fonds. Ces économies peuvent revêtir plusieurs formes : argent liquide, obligations d'épargne, placements REER ou autres, etc.

Vous pouvez aussi donner en garantie (appelée aussi collatérale) un autre bien de valeur que vous possédez. Par exemple, vous habitez en appartement et vous possédez un chalet (ce pourrait être un terrain ou un bateau, ou n'importe quoi d'autre ayant une certaine valeur et pour lequel vous ne devez rien ou presque). Depuis de nombreuses années, vous rénovez votre petit coin de paradis. Pendant ce temps, le secteur s'est quelque peu développé. Vous avez presque fini de payer votre hypothèque sur ce chalet qui a pris de la valeur. Vous pourriez donc obtenir une nouvelle hypothèque sur ce chalet pour acheter votre maison.

2. Le Régime d'accession à la propriété (RAP)

Le Régime d'accession à la propriété est un programme du gouvernement fédéral qui permet de retirer de l'argent investi dans un REER pour acheter une maison, et ce, sans payer d'impôt. Pour bénéficier du RAP, il faut respecter les **4 conditions** suivantes :

- *Acheter pour la première fois ou ne pas avoir été propriétaire depuis quatre ans.* Cette règle vaut également pour votre douce moitié si vous désirez acheter un condo ou un bungalow à deux. De plus, vous devrez faire de cette propriété votre résidence principale et y déménager au cours des 12 mois qui suivent la date d'achat.

- *Retirer au maximum 20 000 $ par personne ou 40 000 $ pour le couple.* C'est le plafond prévu par le programme.

- *Rembourser le retrait au REER.* Le gouvernement vous permet de retirer des fonds REER pour vous acheter une maison sans prélever sa part d'impôt, mais il veut que vous ayez une belle retraite aussi… alors vous avez 15 ans maximum pour rembourser le prélèvement que vous avez fait à votre REER.

• *S'assurer que les fonds retirés du REER y ont été déposés au moins 90 jours avant le retrait.* Vous vous demandez peut-être pourquoi ce délai de 90 jours ? C'est simplement pour éviter les transferts de fonds du genre : quelqu'un emprunte 20 000 $ sous forme d'un prêt personnel, achète ensuite pour 20 000 $ de REER, rembourse un bonne partie du prêt personnel avec son remboursement d'impôt (puisque notre ami a cotisé à son REER, il diminue d'autant ses revenus imposables et récupère donc l'impôt perçu en trop sur ces revenus), et finalement retire les 20 000 $ de REER pour constituer sa mise de fonds pour acheter une propriété. Avec le délai d'attente imposé par le gouvernement entre le dépôt et le retrait, il est impossible de faire cela dans un délai de 90 jours.

La promotion du RAP repose sur le calcul suivant : le rendement qui aurait été obtenu sur l'argent investi dans le REER aurait été inférieur au taux d'intérêt payé sur l'hypothèque. L'avantage, pour vous, c'est qu'en complétant votre mise de fonds par un retrait du REER vous économiserez des frais ou éviterez même de payer la prime de l'assurance prêt hypothécaire. Cela dit, vous devez être conscient que votre REER sera diminué et que, même si vous finirez par rembourser le capital, vous aurez perdu du rendement à long terme.

3. L'assurance prêt hypothécaire

Voilà le fameux « on peut s'acheter une maison avec 5 % d'argent comptant ». C'est vrai, mais il s'agit plus d'une obligation que d'une option, car cette assurance est nécessaire quand l'acheteur ne dispose pas d'une mise de fonds représentant au moins 25 % de la valeur de la maison. La Loi sur les banques interdit en effet aux institutions financières de prêter plus de 75 % de la valeur d'une maison de moins de 250 000 $. Voilà un autre joli ratio.

En dehors de ces conditions, l'acquéreur doit obtenir une assurance prêt hypothécaire auprès de la Société canadienne d'hypothèques et de logement (SCHL), la société d'État responsable de l'application de la Loi nationale sur l'habitation (LNH), ou auprès de Genworth, un assureur privé. Les frais de souscription ou d'ouverture de dossier oscillent entre 75 $ et 235 $. À cela s'ajoute une prime représentant de 0,50 % à 3,25 % du montant du prêt, suivant la somme empruntée, la valeur de la maison et le fait que vous disposiez ou non d'une évaluation récente de la propriété (moins de six mois). La prime est payée à l'achat ou additionnée au montant de l'emprunt.

Pour obtenir une assurance prêt hypothécaire, vous devez aussi respecter ces **3 conditions** :

- La maison que vous achetez doit être située au Canada.
- Il doit s'agir de votre résidence principale.
- Vous devez respecter les fameux ratios financiers de la « règle du 30-40 » (voir p. 60 et 61).

4. L'emprunt auprès de l'entourage

Il est possible, pour diverses raisons, que vous n'ayez pu amasser une mise de fonds suffisante. Dans ce cas, vous pouvez peut-être vous tourner vers votre famille, vos amis ou vos contacts, et leur demander de vous donner un coup de main. Ce genre de démarche est parfois appelé du *love money*. Ce choix peut vous mettre dans l'embarras à l'égard de vos proches en plus de vous placer dans une situation financière précaire, puisque vous devrez honorer votre hypothèque et vos autres obligations, tout en remboursant ce « montant d'amour » qui vous est gentiment prêté. Il s'agit d'une solution de dernier recours.

5. L'emprunt secondaire sur le crédit personnel

Cette démarche peut être hasardeuse et coûteuse. En contractant un prêt personnel, en utilisant votre marge de crédit ou en demandant une avance de fonds sur votre carte de crédit pour constituer votre mise de fonds, vous empruntez la totalité de la somme requise pour l'achat de votre maison. Votre emprunt total représentant le prix de votre résidence, vous paierez des intérêts sur 100 % de sa valeur. C'est assurément une solution à éviter.

Notez que certaines institutions financières proposent une nouvelle option à l'emprunteur ne disposant pas d'un montant équivalant à 5 % de la valeur de la maison. Ainsi, une remise en argent, offerte à titre promotionnel, devient alors la mise de fonds. Cette «solution pour équilibristes» est bien sûr rattachée à certaines conditions. L'emprunteur doit:

- avoir 1,50 % du prix d'achat en argent dans son compte;
- occuper un emploi stable (travailler au même endroit depuis un minimum de six mois);
- avoir un bon dossier de crédit.

Évidemment, cette solution coûte plus cher en bout de ligne, car l'institution financière qui fait la remise exige en retour une prime de 3,40 % (prime maximale de 3,25 % + une surprime de 0,15 % pour l'assurance prêt hypothécaire) et un terme de cinq ans, le temps que la banque récupère son petit cadeau de bienvenue. Vous paierez donc plus en intérêt et vous ne pourrez choisir un terme plus court. En conséquence, votre marge de manœuvre est fortement réduite.

Les frais connexes

Beaucoup de gens commettent l'erreur de ne penser qu'au montant requis pour la mise de fonds initiale, mais il ne faut pas oublier que l'achat d'une maison s'accompagne d'une série de frais connexes. En plus du paiement initial (*cash down*), qui représente déjà plusieurs milliers de dollars, il faut inclure les versements hypothécaires, mais aussi les frais suivants:

- *Le certificat de localisation.* Facture de 400 $ à 1000 $ (l'Ordre des arpenteurs-géomètres du Québec suggère un montant de 700 $). Parfois, le vendeur pourra vous le fournir. Dans les autres cas, il sera exigé par l'institution financière, qui veut ainsi s'assurer que le prêt servira à l'achat d'une maison dont les limites ne débordent pas sur le terrain du voisin.

- *L'assurance hypothécaire.* Frais représentant de 0,5 % à 3,25 % du prêt, plus une taxe de 9 %, le tout payable chez le notaire. À cela il faut ajouter de 75 $ à 235 $ pour les frais d'ouverture de dossier. Ces frais sont incontournables si vous n'avez pas un montant minimum de 25 % du prix d'achat.

- *Les droits de mutation.* Vous devez prévoir une facture de 1000 $ pour une propriété de 125 000 $. Communément appelée «taxe de Bienvenue», non pas pour vous souhaiter la bienvenue (ce qui serait un non-sens), mais en raison du nom du juge qui a eu cette idée de génie, cette taxe est malheureusement inévitable. Elle est calculée, en fonction du prix de la maison acquise, de la façon suivante :
  - 0,5 % sur la première tranche de 50 000 $
  - 1 % de 50 000 $ à 250 000 $
  - 1,5 % au-delà de 250 000 $

- *L'ajustement des taxes municipales et scolaires.* Facture variable. Ces taxes sont parfois payables en un seul versement, mais certaines municipalités autorisent un paiement en deux ou trois versements par année. Dans tous les cas, une partie du dernier paiement de taxes effectué par le vendeur aura servi à payer ses droits alors qu'il vient de vous les vendre. Je vous donne un exemple.

Vous achetez une maison dont les taxes municipales (c'est le même principe pour les taxes scolaires) sont de 730 $ par année, une véritable aubaine en matière de taxation ! Donc, il en coûte au propriétaire deux dollars par jour (730 $ divisé par 365 jours) pour avoir accès à tous les services offerts par sa municipalité (eau, déneige-ment, etc.). Pour simplifier, disons que le vendeur ne peut payer ses taxes qu'en un seul versement, le 1er janvier de chaque année. Vous prenez possession de la maison, par romantisme, à la Saint-Valentin. Comme le compte de taxes a été payé entièrement par le vendeur, mais que c'est VOUS qui allez habiter la maison dorénavant, vous devez rembourser au vendeur, au moment de la signature du contrat notarié, ce qu'il a payé en trop. Combien ? le restant de l'année, dans ce cas-ci 320 jours, à 2 $ chacun (365 jours – 31 en janvier et 14 en février), donc une somme de 640 $. Bienvenue !

- *Les frais juridiques.* Facture de 500 $ à 1200 $. C'est ce qu'il en coûte pour obtenir un contrat notarié, ce qui est également obligatoire au Québec. De plus, vous demanderez peut-être l'avis d'un avocat avant de signer l'offre d'achat. Cependant, comme l'offre d'achat est un contrat standard et que vous n'avez qu'à remplir les espaces en blanc, vous ne risquez pas vraiment de vous tromper.

- *Les frais de déménagement.* Facture variable. Ça va de la caisse de bière et de la pizza à partager avec la gang de copains aux entre-prises de déménagement sérieuses. Vous aurez compris que dans le deuxième cas, les prix varient selon l'étage où vous déménagez, la distance à parcourir et le moment de l'année où vous choisissez de déménager. Le tarif est d'environ 100 $ l'heure si vous vous occupez de l'emballage ; sinon, c'est le double.

- *L'assurance habitation.* Facture variable. Selon le Bureau d'assurance du Canada, il en coûte 607 $ par année, en moyenne, pour assurer une maison. Là aussi, le coût variera grandement selon que vous assurez un condo à Mont-Tremblant, un bungalow à Charlesbourg, une petite maison de campagne aux confins de la Gaspésie ou une résidence cossue de Westmount. Le meilleur moyen de savoir avec plus de précision est de s'informer auprès du vendeur ou encore de demander une évaluation à votre assureur.

- *Les frais d'inspection.* Facture de 150 $ à 400 $. Ce n'est pas toujours obligatoire, mais souvent demandé par les assureurs hypothécaires, surtout si la propriété que vous désirez acheter commence à prendre de l'âge. Dans tous les cas, je vous recommande fortement d'obtenir un rapport rédigé par un inspecteur agréé. Ce n'est pas quelques centaines de dollars qui alourdiront la facture totale, et vous saurez mieux ce que vous achetez. Mieux vaut prévenir et négocier un bon prix d'achat qui tient compte de ce qui doit être fait que de poursuivre en justice l'ancien vendeur après coup.

- *Les frais d'évaluation.* Facture de 150 $ à 300 $. Exigée par les assureurs hypothécaires, l'évaluation réalisée par un inspecteur agréé est de plus en plus demandée par les institutions financières, même si vous disposez d'une mise de fonds de plus de 25 %. On demande alors cette évaluation supplémentaire pour «confirmer» le montant de l'évaluation municipale, mais aussi le prix contenu dans l'offre d'achat, qui est en fait *votre* évaluation. C'est vraiment l'application de l'adage «trois évaluations valent mieux qu'une!»

- *L'attestation de la qualité et de la quantité d'eau pour un puits artésien.* Facture de 200 $ à 350 $. En 2004, l'obtention de cette attestation n'est pas obligatoire. Cependant, si vous désirez habiter une propriété qui n'est pas alimentée en eau potable par la municipalité, je vous recommande de faire faire cette analyse. Un de mes amis avait acheté une maison abandonnée, pourvue d'un puits. Il y avait tellement de travail et d'investissement à faire pour rendre cette propriété habitable qu'il a omis de faire évaluer le puits. Il a été obligé de faire livrer de l'eau par camion-citerne chaque été, et ce, malgré une consommation très réduite (douche quotidienne sommaire, pas de lave-vaisselle, sans compter les charmantes anecdotes de chasse d'eau qui n'était pas tirée aussi souvent qu'elle aurait dû).

- *La TPS (7 %) et la TVQ (7,5 %), dans le cas d'une maison neuve.* Facture variable. Il est possible d'obtenir un crédit de 36 % de ces taxes s'il s'agit d'une résidence principale d'une valeur de moins de 350 000 $ (pour la TPS) et de moins de 225 000 $ (pour la TVQ).

- *L'aménagement intérieur et extérieur.* Facture très variable. Le tout dépendra de vos goûts, de vos besoins et de l'état des lieux. Je suis toujours soulagé lorsque je lis sur une fiche de vente : stores et rideaux inclus. Des fois, lesdits stores sont affreux (on a rarement droit à de beaux stores horizontaux en bois), mais on économise beaucoup ! N'oubliez pas de transcrire ces éléments dans votre offre d'achat. Si rien de tout cela n'est inclus, ajoutez ces frais à votre budget sous la rubrique « dépenses à l'achat ».

- *Les frais de rebranchement.* Ce sont de plus petits montants, mais une fois additionnés, ils représentent souvent une facture plus élevée qu'on ne le croit.

  - Électricité : 20 $ pour un changement d'adresse, 50 $ pour ouvrir un compte

  - Téléphone : 55 $

  - Télévision payante : 100 $ pour l'installation du câble. Peut-être vous faudra-t-il une nouvelle antenne parabolique ou une soucoupe ? Peut-être n'y a-t-il pas de signaux télé là où vous envisagez de déménager ? Il vous faudra alors vous trouver un nouveau moyen de détente… Quel stress !

- *Divers frais liés à l'habitation d'une maison,* notamment l'augmentation des coûts de chauffage (selon Hydro-Québec, le chauffage d'une résidence est en moyenne de 833 $ par année et de 387 $ pour un logement). J'en entends déjà hurler que leur compte d'électricité avoisine presque le paiement de leur voiture. Je vous le concède, 387 $ est une bien petite moyenne. D'ailleurs, il est entendu que les frais de chauffage ne représentent qu'une portion de la facture totale. On connaît tous quelqu'un qui a déménagé parce que son logement coûtait une fortune en électricité. Les chiffres de cette section proviennent pour la plupart d'Option consommateurs et du site Internet des Caisses populaires Desjardins (maison d'une valeur de 100 000 $).

Dans la vie, s'arrêter pour faire le point s'avère indispensable. Il en va de même dans le domaine des finances. Cet exercice permet de bien connaître sa situation financière et d'augmenter ainsi ses chances de voir sa demande de prêt hypothécaire acceptée. Un dossier bien monté et complet vous aidera également dans ce sens. Ce qui est vital... à moins que vous n'ayez la chance rarissime de payer votre maison au comptant!

D'un point de vue pratique, cela vous permettra aussi d'orienter vos recherches de façon réaliste, en respectant votre capacité d'emprunt (que vous pouvez évaluer vous-même à l'aide des trois ratios présentés aux pages 60 et 61). Vous gagnerez ainsi un temps précieux. Il est inutile d'arpenter les quartiers populaires si votre budget et votre standing vous prédestinent à acquérir une propriété luxueuse dans un quartier huppé. À chacun de savoir ce qui lui convient!

Avec des outils et quelques trucs basés sur le bon sens le plus élémentaire, il vous est possible d'améliorer votre situation financière. Constituer une mise de fonds tout en respectant les conditions exigées, comme dans le cas du RAP, est un autre point à vérifier. En somme, acheter une maison est une aventure qui nous mène sur une route jalonnée de postes de péage dont la mise de fonds ne représente que les frais d'inscription.

Choisir le **bon secteur**

Le terme « secteur », utilisé dans ce chapitre, renvoie à la zone territoriale de la municipalité où une maison a été construite. Le secteur constitue l'environnement de la propriété, qui détermine pour une bonne part la valeur de la maison.

Un adage populaire dans le domaine de l'immobilier laisse entendre qu'il y a trois choses importantes à considérer à l'achat d'une maison :

1. Le secteur
2. Le secteur
3. Le secteur

C'est une blague sans en être une. Le secteur où se trouve la maison que vous projetez d'acheter regroupe un ensemble d'éléments ayant une grande influence, notamment sur un budget, sur la qualité de vie et sur la valeur de revente de la propriété, et sur lesquels vous n'avez que peu ou pas de prise. C'est la raison pour laquelle il faut porter une attention particulière à la localisation de la maison autant qu'à la résidence elle-même.

Vos préférences et vos besoins

Une propriété est un capital qui doit être comptabilisé dans un bilan personnel. Autrement dit, une maison, c'est un gros plus à votre bilan. Par contre, comme une maison est achetée à des fins personnelles, elle ne génère pas de revenus. Et pour votre information, un élément d'actif qui ne rapporte pas ne peut pas être considéré comme un investissement. Alors, avis à ceux qui achètent une maison en pensant que ce sera l'investissement de leur vie : ils devront trouver autre chose !

Pour ma part, je préfère dire qu'une maison est un actif qui génère **une obligation d'économie.** Elle permet aussi à son propriétaire d'accumuler du capital au fur et à mesure qu'il rembourse son hypothèque, tout en le protégeant de l'inflation. Une maison prend en effet de la valeur au même rythme que l'inflation augmente. Finalement, dans le but d'obtenir un équilibre entre ce que l'on veut et ce que l'on peut, il faut tenir compte de plusieurs aspects. (Pour ceux qui sont en couple, cela vous fait de belles conversations en perspective !)

Pour prendre une décision éclairée, vous pouvez commencer par les questions plus générales, plus faciles à régler (par exemple : vivre à la campagne ou en ville ?). C'est simplement une question de choix entre deux options qui comportent chacune des avantages et des inconvénients.

Pour certains, la distance à parcourir entre la résidence et le lieu de travail aide à fixer une frontière claire entre vie professionnelle et vie personnelle. Pour les autres, cela ne représente qu'une dépense inutile, une perte de temps et un ensemble de frustrations que le chant des oiseaux et la vue des champs ne peuvent atténuer ! Encore une question de goût et de perception…

Un autre facteur qui influe sur le choix du secteur: la proximité du lieu de travail et des services dont vous avez besoin (école, centre sportif, terrain de golf, centre commercial, hôpital, etc.) Le nombre de services que vous jugez nécessaires à votre qualité de vie aura donc une incidence plus ou moins importante sur le choix de la localisation.

Une représentation visuelle sur carte vous serait peut-être utile. Tracez autour de votre lieu de travail un cercle dont le rayon est la distance maximale (calculée en temps ou en kilomètres) que vous êtes disposé à parcourir matin et soir. Il faut garder à l'esprit que vous ferez ce trajet pendant quelques années, donc pensez-y à deux fois. C'est facile de dire « la distance n'est pas bien longue », mais quand le compteur de votre voiture indiquera 300 000 kilomètres, vous allez peut-être déchanter.

Ensuite, en identifiant, par exemple, les écoles à proximité de votre lieu de travail ou un centre sportif et en traçant autour de ces lieux un cercle dont le rayon correspond également à une distance raisonnable (ou territoire desservi par l'école), vous vous retrouverez avec une carte remplie de cercles. Les espaces où plusieurs cercles se chevauchent sont des zones de résidence possibles. C'est un truc vraiment utile, simple, rapide et qui n'exige qu'une carte et un compas.

La municipalité, le quartier et le voisinage immédiat

Plus vous serez flexible quant à la distance ou le temps que vous êtes prêt à consacrer chaque jour pour vous rendre au travail et moins vous aurez de besoins en matière de services, plus votre zone de résidence possible sera vaste. Cette dernière vous permettra de cibler les municipalités et les quartiers où vous pouvez habiter et être heureux.

À mon avis, il n'y a pas de bonnes ou de mauvaises propriétés, il y a seulement des propriétaires qui ont acheté trop rapidement sans se poser les vraies questions. Remarquez, ceux-là, je les aime beaucoup : c'est précisément ces gens qui deviennent vite des vendeurs pressés. Ce sont eux qui permettent de réaliser les meilleures affaires.

En dernier lieu, il sera important de comparer la maison que vous envisagez d'acheter avec celles qui l'entourent. Ceci est particulièrement recommandé dans un quartier urbain où les styles de construction et la taille des propriétés ne sont pas uniformes. Par exemple, vous avez le cas du propriétaire qui a décidé d'ajouter un deuxième étage à sa maison alors que toutes les autres sont de plain-pied ; ou le bungalow qui a été refait entièrement en pierres des champs alors que les maisons du quartier sont toutes en déclin de vinyle.

Je ne suis pas contre la diversité des styles, mais il est certain que votre résidence conservera plus facilement sa valeur si les maisons voisines sont similaires et bien entretenues. Et elle prendra davantage de valeur si vous pouvez, grâce à quelques travaux, l'élever à un niveau d'entretien et de style comparable à celui du voisinage. Bref, c'est la maison ordinaire, un peu délaissée mais qui, avec un peu d'imagination et de travail, peut gagner en éclat. Ce dernier point peut se résumer ainsi : mieux vaut acheter la résidence la moins belle du plus beau secteur que la plus belle d'un quartier négligé.

Les répercussions financières liées au secteur

La valeur d'une résidence dépend beaucoup de sa localisation. Selon François Des Rosiers, professeur de gestion urbaine et immobilière à l'Université Laval, «sa localisation pourrait représenter de 25 % à 40 % de sa valeur, sinon davantage» (*Les Affaires*, 2 mars 2002). Autrement dit, une maison vaut 150 000 $ parce qu'elle est construite dans un quartier intéressant et située près de nombreux services ; si vous mettez la même maison sur un camion et allez la replacer sur un solage fraîchement coulé au fond d'un rang introuvable, elle ne vaudra plus que 90 000 $, peut-être 110 000 $ le jour où les services municipaux seront disponibles. Voilà pourquoi on entend parfois un vendeur ou un agent dire qu'une propriété construite à tel endroit vaudrait plus si elle se trouvait dans un quartier cossu ou dans une ville plus grande et mieux développée.

Vous débourserez ainsi plus pour une propriété bien située, mais vous bénéficierez d'une qualité de vie supérieure et d'une plus grande valeur de revente. Il vaut donc mieux payer un peu plus à l'achat, et acquérir une maison qui conservera aisément une bonne valeur marchande. Une Mercedes coûte cher chez le concessionnaire mais, même usagée, elle vaut toujours plus qu'une Ford de la même année, pour un même kilométrage.

Si votre budget vous oblige à regarder vers des secteurs moins en demande, vous aurez davantage de pouvoir de négociation à l'achat, mais disposerez ensuite d'une valeur de revente plus faible, à moins que vous pensiez que le quartier prendra de la valeur entre-temps ; c'est le cas en 2004, où des gens font le pari qu'à Montréal, par exemple, les propriétés situées dans le quartier Hochelaga-Maisonneuve prendront de la valeur au cours des prochaines années. Par ailleurs, il est inutile d'effectuer des travaux de rénovation dont vous risquez de ne pas récupérer les coûts à la revente, à moins, bien sûr, que vous ne les fassiez pour améliorer votre qualité de vie ; c'est une façon, je crois, de se sentir davantage chez soi, de marquer son territoire par rapport à l'ancien propriétaire. Pour ça, le meilleur ami de l'homme laisse sa trace aux quatre coins de son terrain ; l'être humain, lui, plus compliqué, rénove !

Puisque, à mes yeux, une propriété n'est pas un investissement (mais vous pouvez continuer de croire le contraire), l'acheteur d'une maison qui a comme objectif premier de se loger ne peut être considéré comme un spéculateur immobilier. Si vous réalisez un gros profit le jour où vous décidez de revendre votre maison, tant mieux. Je désire simplement attirer votre attention sur le fait que, lorsqu'on achète une maison, le but n'est pas de faire fortune. Alors, avis aux téméraires qui voudraient prendre des risques inutiles : acheter et revendre un bien immobilier avec profit et dans un court laps de temps n'est pas toujours une mince affaire. J'en ai connu plus d'un qui ont perdu de l'argent, ce qui fait très mal, surtout lorsque l'argent est emprunté !

Le nombre d'attraits (parcs, terrains de jeux, cours d'eau, piste cyclable, axes routiers, etc.) et de services (bibliothèques, écoles, hôpitaux, centres sportifs, etc.) à proximité d'une résidence en augmentent la valeur suivant la loi de l'offre et de la demande. Il est logique de voir augmenter les prix des maisons pourvues de tous ces avantages puisqu'elles sont désirées par un plus grand nombre d'acheteurs. Plus une propriété peut convenir, de par ses caractéristiques et son emplacement, à un grand nombre de personnes, plus son prix sera élevé.

À cet égard, il est recommandé de s'informer auprès des représentants municipaux et de demeurer attentif aux informations véhiculées par les médias pour savoir s'il n'y a pas d'éventuels projets de construction de complexes résidentiels ou d'infrastructures à proximité du secteur où vous comptez vous établir. Certains bâtiments (une usine ou une prison, par exemple) peuvent induire une baisse de valeur dans le secteur où ils sont construits. Par exemple, de 1999 à 2002, la fermeture de la mine de Murdochville, en Gaspésie, a complètement fait chuter la valeur des résidences. J'ai vu de belles maisons, dont la valeur était d'environ 60 000 $, avec deux étages, assez récentes et très bien entretenues, qui ont été vendues pour 25 000 $. Les annonces (il y en avait plusieurs) indiquaient « négociable » ou « échangerait contre bateau, terrain, roulotte, etc. ». C'est dire l'importance de l'environnement sur la valeur des propriétés avoisinantes.

À cela, il faut ajouter que le taux de taxation est différent selon la localisation de la résidence. Appliqué sur une valeur plus grande, ce taux signifie, bien sûr, un compte de taxe municipale plus élevé. Le calcul de ce dernier s'effectue selon la formule suivante :

taux de taxation* (par tranche de 100 $)	X	évaluation municipale de la propriété	=	taxes municipales annuelles

* Le taux de taxation apparaît sur le relevé d'évaluation foncière émis par la municipalité.

Il est également judicieux de vérifier auprès du conseiller municipal du secteur de la ville qui vous intéresse afin de connaître les prévisions budgétaires municipales. Si vous ne connaissez pas le nom ou les coordonnées de cet élu, vous pouvez alors vous adresser à la réception de l'Hôtel de ville, ou encore au service de l'information des municipalités voisines. Vous pourrez ainsi évaluer les possibilités de hausse du taux de taxation ou de la valeur des propriétés. Comme dans d'autres professions, certains conseillers municipaux sont très professionnels, d'autres le sont beaucoup moins. Si celui auquel vous vous adressez semble faire partie de la deuxième catégorie, insistez un peu pour qu'il fasse son travail ; il est payé pour ça.

Afin d'attirer de nouveaux résidents, certaines municipalités offrent des subventions ou des crédits de taxes (parfois échelonnés sur plusieurs années) pour la construction de nouvelles résidences ; je pense à la municipalité de Lyster, dans les Cantons-de-l'Est. D'autres municipalités accordent un report de taxes à l'achat d'un terrain sur leur territoire. Dans ce dernier cas, l'exemption ou le report s'accompagne souvent d'un délai au cours duquel l'acheteur s'engage à construire une propriété respectant, souvent, certains critères établis par la municipalité. Ces mesures ont pour but d'uniformiser le secteur résidentiel, habituellement géré par le promoteur du complexe résidentiel.

Il existe aussi des programmes de subventions à la rénovation, dont les particularités varient en fonction des municipalités et de leurs budgets respectifs, en général limités. Ils concernent souvent des propriétés ou des secteurs précis. Par exemple, à Québec, un programme de revitalisation des devantures est toujours en vigueur en 2004 dans le quartier Saint-Roch.

Il est donc important de vérifier que de tels programmes existent et que les fonds alloués au budget initial sont disponibles, et de s'informer sur les conditions d'admissibilité, les formalités à remplir, ainsi que les contrôles qui devront être effectués ultérieurement.

L'environnement

L'environnement est un élément dont il faut également tenir compte. Pour cela, il suffit de porter attention à la vue, aux odeurs et aux bruits. Il est important de procéder, tout comme pour la visite de la maison, et si le temps le permet, à quelques vérifications (si possible à différents moments de la semaine et du week-end). Il est toujours plus facile de faire face à un problème détecté avant la transaction plutôt qu'une fois l'offre d'achat signée.

Les voisins immédiats et les gens qui habitent le quartier sont une excellente source de renseignements. S'il existe un problème, environnemental ou autre, avec la maison que vous projetez d'acheter, vous en serez rapidement informé. Ne craignez pas de leur demander leur avis. Les gens sont flattés de la confiance que vous leur portez en leur demandant leur opinion. En agissant ainsi, vous leur offrez l'occasion de parler de quelque chose qui, peut-être, réduit leur qualité de vie ou la valeur de leur résidence. De façon générale, ils sont très enclins à discuter d'un sujet qui les touche personnellement.

Je me souviens de la première maison que j'ai achetée. Elle était située dans un quartier résidentiel à Trois-Rivières. Il y avait un bar à proximité : Le Gosier. Du jeudi au dimanche inclusivement, soirée des dames oblige, la vaste clientèle de cet établissement avait tôt fait de remplir le stationnement et venait donc ensuite se garer dans les rues environnantes. Ainsi, quatre nuits par semaine, il y avait des cris, des rires, des crissements de pneus et parfois même des bagarres en pleine rue ! Ce remue-ménage a été à l'origine de plusieurs tollés de la part de certains de mes voisins. En fin de compte, ceux-ci ont contribué à un changement de la réglementation qui devait interdire le stationnement. La direction du bar a ensuite organisé un système de navette entre un stationnement plus éloigné et ce lieu de réjouissance, dont j'étais alors moi-même client. Mais bon, depuis, Le Gosier a fermé.

Il se peut également que les voisins vous apprennent des choses que vous n'auriez pas pu savoir autrement. Ils peuvent vous renseigner de façon plus objective que le vendeur ou, du moins, vous donner un autre son de cloche. Cependant, faites comme les meilleurs journalistes : taisez le nom de vos sources lorsque vient le temps d'utiliser vos informations.

Vue sur les alentours

Vous venez de trouver la maison de vos rêves. Un vrai coup de cœur : immense cuisine, belle salle de jeux pour la marmaille, terrain paysagé avec piscine, du cachet… Mais, gardez les pieds sur terre, n'oubliez pas d'observer tout ce qui se trouve *autour* de la maison. Il y a peut-être une usine, des pylônes, un voisin ayant une basse-cour complète ou un garage débordant de ferraille et entouré de carcasses d'autos rouillées. Il se peut que, quelques mois après votre achat, vous en ayez plein le dos de cette pollution visuelle. Qui aimerait voir cela tous les jours de la fenêtre de son salon ?

En outre, pensez aux difficultés que vous aurez à revendre une telle propriété et à la perte financière que vous risquez d'essuyer après une dévaluation. Ne vous sentez pas obligé de croire le vendeur qui vous affirme que tout cela est *nouveau* et *temporaire*. Cela dit, ne vous découragez pas non plus. Informez-vous auprès de la municipalité pour savoir si vous devrez supporter longtemps ce paysage rempli de ferraille. Il va de soi qu'un pylône ne peut pas être déplacé, mais les fils peuvent éventuellement être enfouis. Le seront-ils, et quand ? Peut-être le conseiller municipal de ce secteur peut-il vous apprendre quelque chose à ce sujet.

Sachez aussi que bien des municipalités ont leurs petits règlements assez stricts. Par exemple, dans l'ancienne ville de Cap-de-la-Madeleine (maintenant fusionnée à Trois-Rivières), il y avait un règlement municipal interdisant la possession d'un pitbull. À Trois-Rivières, il y a un règlement interdisant la possession de pigeons. À Lorraine, dans la banlieue nord de Montréal, il est interdit d'installer une corde à linge ou un abri Tempo. Vérifiez bien la réglementation municipale. Imaginez que les plates-bandes dans un pneu peint en blanc soient interdites !

Le nez aux aguets

Des usines ou des fermes émettent peut-être dans les environs des odeurs nauséabondes ou nocives à long terme pour la santé. Pendant ce temps, vous rêvez d'aménager votre cour arrière. Mais à quoi cela sert-il d'investir une petite fortune dans la construction d'un patio agrémenté d'un spa si vous risquez de vous évanouir dans les bulles du tourbillon en respirant les effluves provenant du poulailler industriel voisin ?

Il se peut que ces émissions ne soient produites qu'à certains moments de la semaine, la nuit, par exemple (beaucoup d'usines rejettent leurs polluants dans l'air la nuit : ça choque moins l'opinion publique), ou durant certaines périodes de l'année ; ou encore qu'elles ne soient perceptibles que durant les jours humides ou de grand vent, comme pour les odeurs provenant des usines de pâtes et papiers. Il est évidemment bon de vérifier tout cela auprès des gens qui vivent dans le secteur.

Tendez l'oreille !

La maison que vous désirez acheter est peut-être construite sur une artère importante, à proximité d'une voie ferrée (non encore convertie en piste cyclable) ou près d'une autoroute. Il se peut également que la rue où elle est située se trouve dans un quartier résidentiel d'allure paisible, mais parallèle à un boulevard passant. Vous pouvez être sûr que les automobilistes pressés qui connaissent le secteur emprunteront cette rue afin d'éviter les feux de circulation. Alors, ça vous tente de voir des pseudo-Michael Schumacher rouler devant chez vous ?

Cela augmente évidemment le bruit généré par la circulation. Il en va de même si la rue où vous comptez déménager fait partie d'un itinéraire d'une société de transport en commun. Les autobus sont une source de bruit importante. Vérifiez aussi s'il y a des bars dans les parages. Les clients pourraient troubler votre quiétude en fin de soirée. Je suis convaincu que l'idée de voir un client de la taverne Roger *caller* l'orignal dans votre parterre de bégonias tubéreux ne vous emballe guère.

Comme nous venons de le voir, le choix du secteur détermine les services que vous aurez ainsi que leur emplacement, votre qualité de vie, mais aussi la valeur de votre maison ou de votre condo à l'achat et à la revente. Tout cela dépend de la localisation de votre propriété. Il est important aussi de garder en mémoire que, malgré sa très grande importance, vous ne pouvez pas changer grand-chose à l'environnement. Il vaut donc mieux, une fois de plus, déterminer vos besoins avant d'acheter et voir si vous pouvez supporter les inconvénients de votre futur milieu de vie.

Votre **maison idéale**

À quoi votre première propriété ressemblera-t-elle ? S'agira-t-il d'un demi-sous-sol abordable situé dans un édifice à appartements de construction récente, en banlieue d'une grande ville ? d'un condo douillet dans un quartier branché, situé au troisième étage d'un triplex bâti dans les années 1920, avec puits de lumière au-dessus de la salle à manger, vaisselier d'époque encastré et plein de boiseries ? d'une maison en pierre avec un grand terrain paysagé, bâtie selon vos goûts dans un nouveau développement, avec garage double, grand escalier dans le hall d'entrée et somptueuse cuisine high-tech ? Si vous pouviez faire sortir un gentil génie d'une lampe magique, que lui demanderiez-vous précisément ?

Dans ce chapitre, j'aborde les caractéristiques de chaque type de maison, que vous serez amené à évaluer en vue de faire votre choix. Je vous expose aussi tout ce que je sais des agents et courtiers immobiliers, et je vous donne mes meilleurs conseils pour faire des visites efficaces. Pas de doute, le rêve est en voie de se réaliser.

Les critères de sélection

Deux types de critères entrent en ligne de compte dans le choix d'une propriété : ceux qui sont reliés à vos **possibilités financières** et ceux qui découlent de vos **goûts personnels.** Les premiers vous amèneront peut-être à acheter une coquette maison en rangée... alors que les seconds vous auraient fait opter pour l'équivalent de la maison Kinsmen avec terrain de tennis adjacent !

Les critères d'ordre financier

Il est primordial d'évaluer et, surtout, de respecter votre capacité d'assumer financièrement le paiement et l'entretien de la propriété que vous désirez acheter. Afin de cibler votre recherche, sachez quelle est la somme maximale que vous êtes prêt à investir dans une maison. Vous pourrez alors sélectionner à l'avance les résidences pouvant convenir à votre portefeuille et ainsi orienter vos recherches.

Respectez votre budget. Il s'agit d'un principe fort simple sur papier, mais qui n'est pas toujours observé. À cet égard, signalons que le prêt hypothécaire préapprouvé peut vous aider. Afin de mieux connaître les questions financières qui doivent encadrer vos démarches, reportez-vous au chapitre 2 ; ainsi vous saurez mieux quels sont les aspects à prendre en considération.

Aimeriez-vous savoir ce qui se passe dans les coulisses des institutions financières lorsque vous faites une demande de prêt hypothécaire ? Je vais vous expliquer ce qui fait qu'une demande est acceptée et surtout pour quelles raisons elle risque fort d'être rejetée. La réponse tient en un mot : **ratios.**

Je sais très bien qu'entendre parler de ratios est encore plus ennuyeux que faire son bilan, mais rassurez-vous, je serai bref. Vous croyez qu'il est inutile de calculer des ratios ; vous, ce que vous voulez, c'est réaliser votre rêve… et je vous comprends ! Mais le demandeur de prêt hypothécaire n'y échappera pas : un banquier a besoin de sa ration quotidienne de ratios !

Chaque demande de crédit, acceptée ou refusée, est scrupuleusement inscrite dans ce fameux dossier de crédit dont j'ai parlé précédemment. Vous avez eu la brillante idée de faire trois demandes en même temps dans autant d'institutions pour «mettre toutes les chances de votre côté» ? Erreur ! Rien n'est plus suspect aux yeux d'une institution financière qu'un emprunteur qui frappe à toutes les portes en même temps. Rien sauf peut-être un emprunteur qui vient frapper à sa porte parce que le concurrent de l'autre côté de la rue lui a claqué la porte au nez…

D'où l'importance de pouvoir calculer vous-même les ratios : vous pourrez évaluer, **avant** de faire votre demande, si vous avez des chances d'obtenir le financement. Il est inutile de faire une demande de prêt si les ratios à votre dossier sont plus pourris les uns que les autres. Vous ne feriez qu'aggraver votre situation.

Voici les trois ratios les plus couramment utilisés dans le cas de l'acquisition d'une maison. Les deux premiers sont des outils prisés par les institutions financières, le troisième est un repère utile pour vous.

■ RATIO 1 : LE COEFFICIENT DES CHARGES BRUTES

Ce ratio permet d'évaluer la portion des revenus que vous pouvez consacrer mensuel-lement aux charges suivantes :

• remboursement hypothécaire (capital et intérêts)

• taxes municipales et scolaires (coût annuel divisé par 12)

• frais de chauffage

• 50 % des frais communs (s'il s'agit d'une habitation en copropriété)

Le total ne doit pas dépasser 30 % de votre revenu familial brut.

$$\text{Coefficient des charges brutes} = \frac{\text{remboursement hypothécaire + taxes + chauffage + 50\% des frais communs}}{\text{revenu familial brut mensuel}}$$

EXEMPLE

Revenu familial brut :	70 000 $
Prix d'achat de la propriété :	100 000 $
Mise de fonds :	10 000 $
Prêt hypothécaire :	90 000 $
Remboursement hypothécaire mensuel (capital et intérêts) :	**624 $** ou 155,91 $/semaine x 4 semaines*
Taxes municipales et scolaires :	**295 $** par mois
Frais de chauffage mensuels :	**69 $**
Comme il s'agit d'une copropriété, il faut ajouter 50 % des frais communs :	80 $ x 50 % = **40 $**

Coefficient des charges brutes :

$$\frac{\text{Total des charges mensuelles liées au logement} = 624\,\$ + 295\,\$ + 69\,\$ + 40\,\$ = 1\,028\,\$}{\text{Revenu familial brut mensuel } 70\,000\,\$ / 12 = 5\,833\,\$} = \textbf{17,6 \%}$$

Puisque 17,6 % est plus petit que 30 %, cela signifie que le montant accordé aux dépenses de logement n'est pas trop élevé.

Dans cet exemple, le montant maximal pouvant être accordé aux dépenses de logement serait : 30 % de 70 000 $ = 21 000 $ / 12 mois = 1 750 $/mois

* Taux d'intérêt de 6,75 %, amortissement sur 20 ans, terme de 5 ans, mise de fonds initiale de 10 %

■ RATIO 2 : LE COEFFICIENT D'AMORTISSEMENT TOTAL DE LA DETTE

Le coefficient d'amortissement total de la dette permet d'évaluer la portion du revenu familial qu'il est possible de consacrer mensuellement à l'ensemble des charges financières. **Ce ratio ne doit pas dépasser 40 % du revenu familial brut total.**

Pour le calculer, il suffit d'ajouter au calcul précédent les obligations financières qui ne sont pas liées au logement (prêt automobile, prêt étudiant, prêt personnel, etc.).

$$\text{Coefficient d'amortissement total de la dette} = \frac{\text{remboursement hypothécaire + taxes + chauffage + autres paiements}}{\text{revenu familial brut mensuel}}$$

Ces deux coefficients, qui permettent de déterminer le montant maximal d'emprunt que vous pouvez assumer, représentent la « **règle du 30-40** ». En d'autres termes, vos frais de logement ne doivent pas dépasser 30 % de votre revenu familial brut mensuel. Quant à la somme de ces frais et de vos autres obligations financières, elle ne doit pas excéder 40 % de votre revenu familial brut mensuel. En dehors de ces conditions, vous risquez de recevoir, quelques jours après votre demande, un appel de votre agent hypothécaire, qui vous expliquera très poliment que votre demande a été étudiée avec soin… et qu'elle est rejetée. Pourquoi ? À cause des ratios !

■ RATIO 3 : LA CHARGE HYPOTHÉCAIRE MAXIMALE
PAR RAPPORT AUX REVENUS

Un autre moyen de savoir si vous pourrez honorer vos obligations financières après l'achat d'une maison est de suivre la règle suivante : ne jamais contracter une hypothèque représentant plus de deux fois vos revenus familiaux bruts annuels. Par exemple, si vos revenus sont de 75 000 $, votre hypothèque ne devrait pas excéder 150 000 $. Ce ratio est simple mais peu utilisé.

Les critères personnels

Quand vous décidez d'acheter une maison, vous déterminez du coup votre lieu de résidence et, en partie, quelle sera votre qualité de vie pour les années à venir. Vous avez donc tout intérêt à prendre le temps d'évaluer les besoins, actuels et ultérieurs, de votre famille. En procédant méthodiquement, vous augmentez vos chances de vivre dans un endroit qui vous convient vraiment et de transformer votre achat en une expérience positive et enrichissante. Contentez-vous de faire les erreurs sur papier, ça coûte moins cher.

 ## 10 CRITÈRES PERSONNELS

• *Les enfants.* Combien d'enfants avez-vous ? Souhaitez-vous en avoir ? Si oui, combien ? Le nombre d'enfants sur la photo familiale influe nettement sur le choix, la taille et le nombre des pièces nécessaires.

• *L'âge des membres de la famille.* Les besoins d'un père chef de famille monoparentale avec deux adolescents en garde partagée ne sont pas les mêmes que ceux d'un jeune couple avec un bébé.

• *Le lieu.* Vous êtes citadin jusqu'au bout des ongles ? Le bruit des voitures vous rassure ? Ou au contraire vous préférez la campagne, voire une région boisée pour mieux entendre le chant des oiseaux ? Plus « banlieusard », vous aimez jardiner, tondre le gazon ? Ou encore vous voulez profiter des avantages d'un condo et ne pas vous occuper des travaux d'entretien ? Assurez-vous de bien définir l'endroit idéal de votre première propriété.

• *La possibilité d'aménager un espace pour un bureau.* Vous êtes un vaillant travailleur autonome ou encore votre patron vient de vous proposer de travailler à partir de votre domicile deux jours sur cinq, ce qui vous arrange au plus haut point ? Bref, vous avez besoin d'une pièce destinée à vos activités professionnelles. N'en restez pas là : définissez vos besoins. Travaillez-vous de soir ou même de nuit afin de satisfaire vos clients californiens ? Peut-être avez-vous besoin d'un bureau au sous-sol pour ne pas déranger le reste de la maisonnée ? Avez-vous envie d'une fenêtre pour vous sentir moins enfermé ou, au contraire, les stimulations extérieures vous déconcentrent ? Voilà le genre de questions auxquelles vous devez être en mesure de répondre avant de commencer vos recherches.

• *Le nombre de chambres et de salles de bains.* Peut-être avez-vous besoin d'une chambre supplémentaire pour respecter votre promesse à vos deux plus vieux, qui doivent partager la même chambre actuellement. Ou encore votre belle-mère est régulièrement de passage et vous tenez à lui offrir du confort et à préserver son intimité (et la vôtre). Même chose pour cet espace critique âprement disputé chaque matin qu'est la salle de bains. Combien de personnes doivent se la partager? Si vous avez des enfants, pensez qu'ils ne resteront pas petits éternellement.

• *Le terrain.* Quoi de plus agréable que de jardiner… quand on aime ça! Mais cela exige un minimum d'espace. Aurez-vous besoin de construire un enclos pour Rex? Êtes-vous du genre à prendre le thé de 14 h dans la cour? Peut-être voudriez-vous une grande terrasse en bois pour pouvoir inviter vos coéquipiers de balle-molle tous les jeudis? Posez-vous la question: de quel genre d'espace avez-vous besoin? Pour cultiver un rosier, on peut utiliser un pot sur le bord de la fenêtre, mais si vous voulez acheter un cheval, à défaut d'un ranch, vous aurez besoin d'un champ!

• *Le sous-sol fini.* Prévoyez-vous être l'organisateur en chef des 12 prochains partys de Noël de la famille? Êtes-vous un collectionneur d'animaux empaillés? un amateur de trains électriques avec gare de triage, stations de chargements, tunnel dans la montagne et villages éclairés? Peut-être avez-vous besoin d'un atelier pour ranger votre encombrant matériel de bricoleur? Prévoyez-vous construire un abri nucléaire? Tout cela exige un sous-sol et un vrai! Pas un petit vide sanitaire de trois pieds avec le sol en terre.

• *Les accessoires.* Aimez-vous vous tremper le gros orteil après une longue journée de boulot? Si oui, préférez-vous une piscine creusée ou hors-terre? Peut-être un spa vous conviendrait-il mieux? Et que dire du garage… Si vous pensez l'utiliser comme espace de rangement, peut-être qu'un simple cabanon fera l'affaire. Mais bien sûr, si c'est pour servir d'écrin à votre Corvette 1967, qui ne peut rester dehors l'hiver et qui vous oblige à traverser la ville pour vous rendre au hangar où le petit bijou est entreposé... Demandez-vous si ces accessoires sont vraiment nécessaires pour répondre à vos besoins actuels et pensez à ceux qui pourraient devenir indispensables au cours des cinq prochaines années. Aurez-vous l'espace nécessaire pour les ajouter s'ils n'y sont pas déjà au moment de l'achat?

• *Les services et infrastructures à proximité.* Tout le monde est heureux d'avoir un parc à côté de sa maison, mais en profiterez-vous vraiment? Si vous désirez acheter un condo, disposerez-vous du droit d'aller pique-niquer dans le gazébo commun? Aurez-vous le droit d'installer vous-même vos pneus d'hiver dans le garage souterrain? Si vous n'avez pas d'enfant ni l'intention d'en avoir, l'école primaire située en face (et ses marmots en récréation) peut finir par vous porter sur les nerfs. Par contre, si vous êtes un hypocondriaque notoire, avoir un hôpital à proximité peut s'avérer une bonne idée.

• *La proximité de la famille ou des amis.* Voilà une belle question à poser ce soir à votre douce moitié sur l'oreiller : est-il vraiment nécessaire d'acheter une maison à deux pas de celle de sa mère? Bonne chance...

Quelle propriété choisir?

Une fois vos critères personnels et votre budget établis, choisissez un type de propriété correspondant à vos besoins.

La maison unifamiliale

Évidemment, la maison unifamiliale offre plus de liberté et d'intimité que les autres catégories de propriété, mais elle est également plus chère à l'achat. Par contre, vous aurez plus de chance de récupérer votre mise de fonds au moment de la revente pour cette même raison. Voyons brièvement les caractéristiques de chaque type de propriété individuelle.

- *Le bungalow.* Le bungalow a été le type d'habitation le plus construit entre les années 1950 et 1970. On pourrait dire que cette maison pratique et confortable, comprenant habituellement un rez-de-chaussée et un sous-sol, aménagé ou non, personnifiait le rêve américain. En effet, le bungalow a permis (et permet toujours) aux gens de devenir propriétaires, à un prix raisonnable, d'une maison qui offre l'avantage d'un terrain privé habituellement de dimension appréciable.

- *Le cottage.* Voilà une autre maison qui plaît également beaucoup. Dans un cottage traditionnel, on trouve le salon, la cuisine et la salle à manger au rez-de-chaussée et les chambres à l'étage. Les dimensions du cottage sont généralement plus modestes que celles du bungalow, mais beaucoup d'acheteurs apprécient, entre autres choses, le fait que leur chambre ne se trouve pas à côté de la cuisine, comme c'est le cas dans bien des maisons. Nombre de petits (et grands) duplex se voient transformés en cottages, surtout ceux dont l'escalier menant au deuxième étage se trouve à l'intérieur ; pas besoin, alors, de percer le plafond.

- *La maison à paliers.* Le style extérieur s'apparente à celui du cottage. L'originalité architecturale de ce type de maison réside dans l'utilisation de marches ou d'escaliers pour à la fois délimiter et relier les pièces les unes aux autres. Parce que les pièces ne sont pas toutes sur un même niveau, la maison à paliers offre plus d'intimité à ses occupants. J'aime beaucoup ce style, qui a déjà été très avant-gardiste. Mais comme il n'y a rien de parfait en ce bas monde, l'inconvénient de ce type de maison est aussi ce qui en fait le charme : les escaliers. Si vous achetez une maison de ce genre, vous économiserez sur l'abonnement au centre sportif que vous pourrez annuler dès votre emménagement. Avec ces marches à monter et à descendre continuellement, je ne connais aucun propriétaire de maison à paliers qui fait de l'embonpoint !

- *La maison en rangée.* Comme son nom l'indique, c'est une maison unifamiliale reliée à ses voisines, identiques, par des murs mitoyens. Ce genre de maison typiquement urbain est né de la volonté de construire des propriétés plus abordables malgré l'augmentation des coûts de construction et la rareté croissante des terrains disponibles. Mission accomplie ! Je suis agréablement surpris de la qualité du design des aménagements intérieurs depuis les années 2000. La maison en rangée a permis — ce qui est fantastique — à beaucoup de gens de devenir enfin propriétaires de leur logis.

- *La maison jumelée.* Voilà un compromis agréable entre la maison détachée, trop souvent inabordable dans les grands centres pour un premier achat, et la maison en rangée. La maison jumelée compte deux unités séparées par un mur mitoyen. Lorsque je vivais à Victoriaville, au début des années 1980, j'avais un ami dont les parents étaient propriétaires d'une maison jumelée. La famille comptait quatre enfants, plus les amis. Jamais les voisins immédiats n'ont eu à se plaindre du bruit. Alors on peut imaginer qu'aujourd'hui, avec les familles moins nombreuses et les murs en béton, c'est la quiétude totale !

- *La maison mobile.* Vos moyens financiers sont très limités ? Vous vous accrochez tout de même à votre rêve de devenir propriétaire ? Vos recherches vous mènent invariablement à des maisons hors de vos moyens ? La maison mobile pourrait bien être la solution, car il s'agit du type de maison le plus abordable. De plus, il est courant que le terrain sur lequel elle se trouve soit loué. Vous n'avez donc qu'à acquérir la maison elle-même. La valeur de revente est incertaine, c'est vrai, mais à mon avis, c'est tout de même une option plus rentable que votre loyer actuel.

Le condominium

Le condo est le rêve des gens qui disent oui à la propriété tout en disant non aux travaux d'entretien. Le condo se situe à mi-chemin entre la maison et un logement, car il fait partie d'un ensemble, parfois même d'une tour d'habitation. En échange des travaux que vous n'aurez pas à faire, vous devrez payer des frais communs… et assumer certaines décisions communes. Que voulez-vous, tout a un prix ! C'est donc un choix de propriété idéal pour ceux qui veulent être chez eux tout en ayant les avantages des locataires, c'est-à-dire pas de travaux d'entretien ou de rénovation en dehors de leur unité.

Une maison neuve ou existante ?

Peu importe le type de maison que vous choisissez, vous devez vous demander si vous désirez une construction neuve ou une maison existante. Au Québec, selon l'Association provinciale des constructeurs d'habitations du Québec inc. (APCHQ), les trois quarts des acheteurs d'une première propriété optent pour une maison existante, et les autres, pour une maison neuve.

La maison neuve

Selon Statistique Canada, le coût des maisons neuves se serait apprécié de 4 % en 2002 dans les grands centres urbains du Québec. Ce phénomène serait attribuable à l'augmentation des salaires et à la hausse du prix des matériaux provoquées par la pénurie de main-d'œuvre dans le secteur de la construction. Il n'est sans doute pas étranger non plus à la hausse du prix des maisons existantes, qui tend à se rapprocher de celui des maisons neuves.

Une maison neuve offre l'avantage de répondre davantage, et ce dès le départ, aux besoins de son propriétaire puisque celui-ci peut effectuer des choix précis au cours de l'élaboration des plans. La construction d'une maison est cependant une aventure exigeante. De la conception des plans à la prise de possession, vous aurez une foule de décisions à prendre et d'actions à entreprendre : déterminer le lieu de construction, acheter le terrain, déterminer le style de la maison à construire, engager un architecte à qui vous devrez expliquer vos besoins et attentes pour qu'il transpose votre vision de la maison en plans concrets, embaucher un entrepreneur, suivre l'évolution des travaux, faire

faire l'inspection finale, voir à l'apport des rectifications (il y en a toujours) et, finalement, prendre possession de ce joyau et organiser la pendaison de crémaillère.

Me croirez-vous si je vous dis que la grande majorité des nouveaux acheteurs optent pour une maison déjà construite ?

La maison préfabriquée

La maison préfabriquée est construite, en partie ou en totalité, en usine. L'un de ses avantages tient au fait que sa construction a lieu entièrement à l'abri des intempéries. Longtemps boudé par les consommateurs, qui l'associaient à la maison mobile ou à un produit bas de gamme, ce type de construction est encore mal connu ici des acheteurs de maison. Actuellement, seulement 12 % des maisons neuves au Québec sont construites en usine, alors que ce taux est d'environ 40 % aux États-Unis. En Europe, plus de 70 % des maisons à structure de bois sont préfabriquées.

Au Québec, l'industrie des maisons préfabriquées produit aujourd'hui à peu près tous les genres de propriétés et en exporte environ 500 unités par an. La Société canadienne d'hypothèques et de logement (SCHL) offre même de l'aide aux exportateurs. La confiance dans ce produit est donc réelle, et l'expansion de ce secteur, assurée.

Personnellement, je ne comprends pas qu'on préfère acheter des matériaux séparément et les faire assembler sur un chantier plutôt que d'acheter le produit fini fabriqué en usine de la même façon (avec, en prime, des matériaux qui n'ont pas été soumis à la pluie et à l'humidité pendant la construction). De plus, la gestion des échéanciers n'est pas soumise aux caprices de Dame Nature, ce qui permet de respecter avec plus de précision les dates de livraison. Un mois dans la vie de quelqu'un est une bien courte période, surtout quand on est en vacances, mais lorsqu'il s'agit de patienter chez des amis et de vivre «dans ses boîtes» en attendant que sa maison soit finie, ça peut paraître bien long.

Certains croient qu'une maison modulaire ou en panneaux serait moins résistante que celle construite sur place. J'aimerais bien qu'on m'explique pourquoi. D'ailleurs, je fais davantage confiance au fabricant de maisons qui a pignon sur rue qu'à l'entrepreneur arrivant avec un camion et dont l'adresse peut changer n'importe quand!

La maison existante

De 2001 à 2003, selon le journal *Les Affaires*, le prix des maisons existantes a augmenté de 26 %. Dans ces conditions, le marché résidentiel de la revente se porte donc formidablement bien, tout comme celui de la rénovation. Il est aisé de comprendre que, si une maison existante satisfait vos exigences de base, mais ne répond pas parfaitement à l'ensemble de vos besoins, il vous est possible d'améliorer les choses en effectuant quelques travaux de rénovation.

Que vous décidiez d'acheter une maison existante ou une construction neuve, vous aurez besoin d'un peu d'imagination. La maison existante nécessite, la plupart du temps, un certain nombre d'améliorations, de modifications, d'ajouts ou de rénovations pour satisfaire à vos besoins. Et plus elle est vieille, plus vous devrez travailler pour la rendre conforme à vos attentes. Par exemple, je suis souvent tenté d'abattre un mur ou deux pour agrandir les pièces afin d'y faire passer plus de lumière. Dans les maisons plus anciennes, les propriétaires recouvraient habituellement les planchers de bois avec des tapis et du linoléum. Moi, je préfère arracher tout ça pour redonner vie au bois.

Quant à la maison neuve, vous devrez la construire au complet… du moins sur papier. Et soit dit en passant, les plans ne sont jamais parfaits, et le produit fini ne correspond jamais exactement aux plans. C'est inévitable et tout à fait normal!

La recherche d'une maison

Maintenant que vous avez défini vos besoins et évalué vos capacités financières, le temps est venu de commencer vos recherches. À cette étape, ne négligez aucune source d'information. Fouillez partout. Il y a les petites annonces dans les journaux, la chaîne de télévision consacrée à l'immobilier, les revues spécialisées, qui ont l'avantage de contenir des photos, les sites Internet de petites annonces et ceux qui permettent une visite virtuelle, etc.

Plus vous effectuerez de recherches, plus votre choix de maisons intéressantes sera grand. Trop de gens achètent la première maison qu'ils voient par hasard sur le chemin du bureau. Il faut chercher, téléphoner, poser des questions aux propriétaires et aux agents d'immeubles. Faites un effort, mettez-y du temps, et je vous garantis que vous allez finir par dénicher LA maison. Voici **6 moyens** pour vous aider à dénicher votre perle rare.

1. *Baladez-vous en voiture.* Vous trouvez que le prix de l'essence est exorbitant ? Tant pis ! Prenez le volant et sillonnez les coins qui vous intéressent. Faites comme si vous aviez perdu votre chien : ne circulez pas trop vite et regardez partout.

2. *Épluchez les petites annonces.* Consultez la section immobilière des journaux, ainsi que les revues spécialisées dans l'immobilier. Encerclez les candidates intéressantes. Raturez celles que vous n'aimez pas. Découpez les photos et les descriptions des maisons que vous aimeriez visiter. Appelez les vendeurs. Posez des questions. Prenez des notes. Et n'ayez jamais peur de déranger.

3. *Effectuez une recherche par Internet.* Visiter des maisons sans sortir de chez soi, qui l'aurait cru ? Dorénavant, avec Internet, c'est possible. Alors, profitez-en et faites imprimer tout ce qui vous semble intéressant. Vous pouvez aussi envoyer des courriels et ainsi obtenir davantage de renseignements.

4. *Retenez les services d'un agent immobilier.* Recourir aux services d'un agent ou d'un courtier immobilier spécialisé dans le type de maison que vous cherchez est une autre bonne façon d'augmenter vos chances de trouver des propriétés intéressantes. Je traiterai en détail du rôle de l'agent dans la section suivante.

5. *Réseautez.* Parlez avec les gens qui habitent les secteurs retenus. Ils vous indiqueront peut-être des maisons qui sont à vendre, mais qui ne sont pas officiellement inscrites sur le marché. Les employés des dépanneurs sont souvent au courant des propriétés à vendre dans le quartier. Demandez-leur s'ils ne sauraient pas où vous pourriez trouver une maison présentant les caractéristiques de votre cadre de recherche.

6. *Lancez une bouteille à la mer.* Placez une annonce dans les dépanneurs de la région où vous souhaitez demeurer ou dans un hebdo local. Par exemple : «Particulier achèterait maison avec deux chambres. Bon prix. Disposé à rénover. Appelez Paul ou Martine au 555-0796.» C'est de cette façon que j'ai acheté l'une de mes maisons. Dans ce cas, vous n'avez pas besoin de recevoir une tonne d'appels. Imaginez le pouvoir de négociation que vous détenez quand c'est le vendeur qui vous téléphone en premier !

Petit conseil de jeune routier : soyez prêt à agir rapidement, surtout si le marché favorise les vendeurs. Ces derniers ont alors l'embarras du choix pour ce qui est des acheteurs. Ils ne vous attendront pas ! Sachez d'avance ce que vous voulez.

Le rôle de l'agent ou du courtier immobilier

Les agents et les courtiers, en leur qualité de professionnels en valeurs immobilières et à titre d'intermédiaires et de médiateurs, peuvent vous rendre de nombreux et précieux services : notamment vous informer du marché, vous aider à effectuer une recherche de propriétés, négocier, remplir l'offre d'achat et vous suggérer les services de certains professionnels dont vous pourriez avoir besoin (notaire, évaluateur, inspecteur, etc.).

Peu importe la compagnie pour laquelle il travaille, l'agent d'immeubles a accès, par l'intermédiaire du Service inter-agences (SIA, version française de Multiple Listing Service, mieux connu sous l'abréviation MLS), à toutes les propriétés vendues par un agent. Vous pouvez vous-même consulter directement une version moins détaillée de ce site (sia.ca), mais cela revient à dire que vous vous tapez le travail de votre agent qui, lui, est prêt à le faire sans rien vous facturer. De plus, il est possible que votre agent puisse vous offrir certaines propriétés dont il a obtenu le mandat de vente tout récemment et qui ne se retrouvent pas encore dans le réseau SIA. Vous aurez ainsi la primeur, ce qui est un net avantage lorsque le marché est en effervescence.

Tous les agents d'immeubles sont obligés de suivre une formation, laquelle leur permet d'offrir des services de qualité et assure leur professionnalisme. Dans le cadre d'un sondage réalisé par la firme MultiRéso, la Chambre immobilière du Grand Montréal (CIGM) révélait par ailleurs qu'un tiers des agents détiennent aussi un diplôme universitaire. Un agent ou un courtier immobilier peut également vous aider à acquérir une demeure même si celle-ci est vendue par le propriétaire. Dans ce cas, l'agent ou le courtier signe avec le propriétaire un contrat exclusif pour cette transaction.

Il est également bon de savoir que certains agents ou courtiers, appelés *agents contractants,* ont le mandat de vendre plusieurs dizaines de propriétés. Si l'agent ou le courtier dont vous avez retenu les services n'a pas ou n'a que peu de mandats, il peut vous proposer des propriétés enregistrées par d'autres agents.

En réalité, beaucoup de transactions sont effectuées entre deux agents (ou courtiers), l'un représentant l'acheteur, l'autre, le vendeur. À cet égard, signalons que l'article 40 de la Loi sur le courtage immobilier oblige les agents et courtiers à collaborer de façon raisonnable. Il faut comprendre que les agents à temps plein (les « vrais ») travaillent uniquement à la commission. Ça occasionne parfois un peu de stress, mais c'est leur choix et vous n'avez pas à signer un mandat ou à acheter une maison qui ne vous satisfait pas entièrement simplement parce que votre agent n'a plus d'argent. D'accord ?

Dans un même ordre d'idées, certaines tensions peuvent se créer entre les agents eux-mêmes. Chacun voudrait conserver pour lui la totalité de la commission sur la maison que vous voulez acheter. C'est pour cette raison que, généralement, un agent essaiera de vous vendre une propriété dont il a le mandat de vente, une maison devant laquelle il a planté une pancarte avec sa photo dessus ! C'est seulement *après* qu'il vous montrera les mandats de vente des autres, puisqu'il devra alors partager sa commission.

Par ailleurs, en raison de la concurrence inhérente à la profession, vous devez jouer de prudence. Faites attention, par exemple, de ne pas subir l'augmentation artificielle des prix, ce qui se produit parfois lorsqu'il y a un trop grand nombre d'agents qui se disputent un marché en ébullition. Dans le but d'obtenir un mandat de vente, certains sont tentés de faire de la surenchère : par exemple, ils promettent au propriétaire vendeur qu'ils obtiendront pour sa propriété un prix plus élevé que les autres agents. Le prix de vente demandé à l'inscription du mandat n'est donc pas toujours réaliste.

Afin d'établir une relation de confiance et dans le respect du temps et des efforts investis par votre agent ou courtier en immobilier, il est grandement préférable de réaliser l'ensemble du processus, de la recherche à la conclusion de la transaction, avec le même professionnel. N'oublions pas que l'entente verbale, qui est d'usage courant, a force de loi et est reconnue comme étant une forme de contrat légal. Vous pourrez répéter cela à votre agent s'il vous propose un contrat à signer pour vous représenter. Une poignée de main est amplement suffisante quand vous êtes acheteur.

Notons que les agents ou courtiers en immobilier doivent remplir certaines conditions afin d'obtenir et de conserver leur permis de travail, aussi appelé certificat. Bien entendu, en plus de leurs engagements envers les autres membres de la profession, les courtiers ou agents d'immeubles se doivent de respecter leurs obligations envers le public ainsi qu'envers leurs clients. Pour en savoir davantage à ce sujet, il est possible de consulter le document intitulé *Loi et règlements sur le courtage immobilier au Québec* et produit à titre informatif par l'Association des courtiers et agents d'immeubles du Québec (ACAIQ).

Afin de rendre l'expérience la plus heureuse possible et de mettre toutes les chances de votre côté pour trouver un agent sérieux, voici quelques bons conseils :

1. *Au moment de choisir votre agent, informez-vous auprès de votre entourage.* Une référence d'un proche est toujours une bonne base pour entamer une nouvelle relation d'affaires. Autrement, allez-y au pif. Appelez les agents qui ont des mandats dans le secteur visé. Parlez avec eux et suivez votre *feeling*. Il est important que vous vous sentiez à l'aise avec votre agent. Votre démarche de recherche et d'achat sera ainsi plus agréable.

2. *Assurez-vous qu'il exerce ce métier depuis quelques années et qu'il le fait à temps plein.* Je vous déconseille de faire affaire avec un débutant. L'information étant le nerf de la guerre, vous aurez besoin de quelqu'un qui dispose d'un réseau de contacts. De plus, faire affaire avec un agent qui ne veut qu'arrondir ses fins de mois ne vous sera pas très utile : il ne sera pas assez dévoué à votre cause. Il est important aussi qu'il connaisse bien le secteur où vous voulez habiter. Il pourra ainsi vous donner l'heure juste sur l'état du marché dans le secteur choisi, par exemple l'écart entre les prix de vente et les évaluations municipales.

3. *Lorsque vous l'appelez pour la première fois, faites-le à une heure où vous n'appelez personne d'habitude de peur de déranger, comme le dimanche matin à 8 h.* Ne faites pas affaire avec lui si vous ne pouvez pas le joindre directement ou s'il ne vous rappelle pas dans les 15 minutes. Et cette consigne est valable en tout temps. Vous me trouvez sévère ? Je veux simplement vous éviter de devoir courir continuellement après votre agent et d'avoir l'impression que vous le dérangez quand vous réussissez à lui parler.

4. *Pour votre première rencontre, donnez-lui rendez-vous à son bureau.* Les agents professionnels possèdent toujours une salle de réunion. Vous serez ainsi plus tranquille qu'au café du coin et vous pourrez vous assurer qu'il fait bien partie d'une agence reconnue. On n'est jamais trop prudent ! Soyez à l'heure et arrivez préparé, c'est-à-dire ayez avec vous : la liste de vos besoins incontournables (deux chambres, un garage, un grand terrain, etc.), la liste des critères de recherche qui en découlent (type de propriété recherchée, barème de prix, etc.), le ou les secteurs retenus et, si possible, une copie de votre prêt hypothécaire préautorisé. Ce dernier document n'est pas essentiel, mais les bons agents sont très occupés et aiment faire affaire avec des gens sérieux, alors prouvez-lui que vous l'êtes.

5. *Prenez le temps d'établir une relation amicale avec votre agent.* Si vous faites preuve d'un peu d'empathie à son égard, il aura peut-être tendance à penser à vous en premier lorsqu'une belle occasion se présentera. Autrement dit, donnez à votre agent l'envie de vous aider à trouver votre propriété tout en rendant le processus agréable. Par exemple, lorsque j'ai décidé de retourner vivre à la campagne, j'ai cherché pendant quatre mois la maison qu'il me fallait. Mon agent et moi avons fait pas mal de kilométrage sur les chemins de campagne et dans les rangs à la recherche de la perle rare. Nous avons fini par devenir de bons amis, au point d'aller à la pêche ensemble.

6. *Exprimez clairement à votre agent vos attentes dès le départ et écoutez les siennes.* Établissez ensemble un échéancier réaliste pour trouver ce qu'il vous faut et élaborez un plan pour atteindre votre objectif. Est-ce que votre agent fera des recherches chaque matin ou vous fera-t-il parvenir quelques mandats par courriel seulement une fois par semaine ? Participerez-vous aux recherches ? Si oui, de quelle façon et à quelle fréquence lui ferez-vous part de vos trouvailles ? À quel moment est-il le plus disponible ? Même chose pour vous envers lui. Avez-vous son numéro de téléphone privé ? Si oui, à quel moment et dans quelles circonstances pouvez-vous l'utiliser ? Vous voyez le genre de détails à mettre au clair ? Ne risquez pas un imbroglio qui vous ferait perdre du temps et porterait ombrage à votre relation.

Un bon agent d'immeubles peut presque vous sauver la vie, mais un mauvais peut vous donner des idées noires ! Par exemple, il y a quelque temps, deux de mes amis (un couple) ont eu du fil à retordre avec une agente qu'ils tentaient de joindre pour visiter la maison dont elle avait le mandat de vente. Ils ont dû laisser un message par jour pendant cinq jours avant de pouvoir lui parler! À cause de sa négligence, ils n'ont pas pu visiter la maison convoitée : elle avait déjà trouvé preneur. Deux mois plus tard, ils ont de nouveau déniché une propriété qui, sur papier, correspondait parfaitement à leurs besoins. Une fois de plus, impossible de joindre cette agente. Quatre jours plus tard, ils ont enfin eu de ses nouvelles. Trop tard! une offre d'achat était déposée.

La visite

Prendre rendez-vous pour une visite est une étape excitante. Cela signifie que vous avez trouvé une propriété qui semble répondre à vos attentes, du moins sur papier. Il faut maintenant enquêter un peu... en allant y voir de plus près. Voici cinq conseils pour une visite efficace.

1. *Revoyez la fiche technique de la propriété juste avant la visite.* Vous aurez ainsi en mémoire les éléments importants tels que le prix, l'évaluation municipale, les éléments inclus comme le lave-vaisselle ou les fixtures. Arrivez toujours environ 15 minutes à l'avance pour respecter le temps de votre agent et des propriétaires ou de leur agent. Vous aurez aussi de cette façon le temps de faire le tour de la rue pour revoir le quartier avant la visite.

2. *Demeurez courtois et respectueux.* Rappelez-vous que faire visiter sa maison à de parfaits inconnus (ce que vous êtes pour les propriétaires) n'est généralement pas une expérience des plus agréables. Si c'est en hiver, enlevez vos bottes. Ensuite, il est inutile et même déplacé de faire remarquer que les fleurs artificielles sont d'une « quétainerie » épouvantable... surtout s'il y en a sur la télé! C'est le genre de commentaire stupide qui ne fait que vous nuire par la suite si des négociations sont amorcées. Bref, privilégiez l'attitude du diplomate, qui ne laisse pas transparaître ses pensées.

3. *Faites le tour de la maison.* Vous êtes là pour ça. Demandez la permission avant d'ouvrir la porte du garde-manger ou d'une garde-robe, mais *faites-le.* J'ai déjà vu des armoires tellement peu profondes qu'une assiette ne pouvait y tenir à plat. Une autre fois, il y avait un tas de fils électriques apparents qui passaient au fond de l'armoire. À moins d'avoir une vision aux rayons X, ça ne peut se voir autrement qu'en ouvrant les portes ! Demandez à descendre au sous-sol ou acceptez d'y aller si on vous le propose. C'est là que vous pourrez voir la solidité de la base de la maison et s'il y a des signes d'infiltration d'eau.

4. *Prenez des notes.* Inscrivez tout ce qui sera à faire (la peinture à rafraîchir dans le bureau, les portes d'armoires à changer dans la cuisine, etc.), ainsi que les points positifs (la vue sur le fleuve de la fenêtre de la cuisine).

5. *En partant, remerciez les gens pour le temps qu'ils vous ont consacré.* Il est toujours préférable de se quitter sur une note positive.

Vous devez évidemment conserver un minimum d'objectivité afin d'évaluer correctement la propriété. À cet égard, une grille d'inspection pourrait s'avérer un outil précieux. Toutefois, elle ne remplace pas l'inspection minutieuse de la résidence, qui devra être faite par un professionnel reconnu avant la signature du contrat de vente.

LA GRILLE D'INSPECTION

Adresse : _____

Prix demandé : _____ $

Évaluation municipale : _____ $

Dimensions du terrain : _____

Date de prise de possession : ___ / ___ / ___

Nom de l'agent : _____

Tél. : _____

Taxes municipales : _____ $ + scolaires : _____ $ Total : _____ $

Chauffage : _____ $

Frais de copropriété : _____ $

Âge de la maison : _____ ans

Tranquillité : _____

Commentaires :

_____

_____

_____

Inclus dans la vente :

_____

_____

_____

Services à proximité :

_____

_____

_____

Extérieur

Toiture :   Plate ❐   En pente ❐
Matériaux : _____   Âge : _____ ans   État : _____

Ouvertures :
Matériaux : _____   Âge : _____ ans   État : _____

Fondations :   Bois ❐   Blocs ❐
               Coulée ❐ de ciment ❐   de béton ❐   pieux ❐
               État : _____

Revêtement extérieur : Brique ❐   Clin ❐   Bois ❐   Crépi ❐
               Âge : _____ ans   Couleur : _____
               État : _____

Égouts municipaux : ❐
               Fosse septique ❐   Système d'épuration des eaux ❐
               Réglementaire oui ❐ non ❐

Approvisionnement en eau : ❐
               Puits artésiens : ❐   Puits de surface : ❐
               Test qualité/quantité d'eau oui ❐ non ❐

Type de sol : _____

	oui	non	État :
Aménagement paysager :	❐	❐	_____
Gouttières :	❐	❐	_____
Terrasse :	❐	❐	_____
Patio :	❐	❐	_____
Balcons :	❐	❐	_____
Cabanon :	❐	❐	_____
Garage :	❐	❐	_____
Stationnement :	❐	❐	_____
Abri pour l'auto :	❐	❐	_____
Piscine :	❐	❐	_____
Spa :	❐	❐	_____
Endroit pour un feu :	❐	❐	_____

Intérieur

Chambres   Nombre : _____
   Dimensions : 1) _____   2) _____   3) _____   4) _____
   Revêtement de sol : _____   État : _____

Salles de bains   Nombre : _____
   Dimensions : 1) _____   2) _____   3) _____
   Revêtement de sol : _____   État : _____

Cuisine
   Dimensions : _____
   Îlot oui ❐ non ❐
   Revêtement de sol : _____   État : _____

Salon
   Dimensions : _____
   Revêtement de sol : _____   État : _____

Sous-sol
   Fini oui ❐ non ❐
   Revêtement de sol : _____   État : _____

Foyer oui ❐ non ❐

Boîte électrique : Disjoncteurs ❐   Fusibles ❐
   Ampérage : _____   Âge : _____ ans

Prises électriques :
   En nombre suffisant oui ❐ non ❐

Type(s) de chauffage : _____
   Âge du système : _____ ans

Plomberie :   Type : _____   Âge : _____ ans
                   État : _____

Chauffe-eau : Type : _____   Âge : _____ ans

Système de climatisation oui ❐ non ❐
              Type : _____   Âge : _____ ans

Système de sécurité oui ❐ non ❐

Autres _____
_____
_____

Ce que révèle l'aspect extérieur d'une maison

On découvre des tas de choses uniquement en portant attention à l'aspect extérieur d'une maison. Arrivez donc un peu à l'avance à votre rendez-vous. Vous aurez le loisir d'examiner les aspects suivants (reportez-vous aussi à la grille d'inspection que nous venons de voir) :

• *Le stationnement.* Combien y a-t-il de places dans le stationnement ? Une ? Mais vous avez deux voitures... Où allez-vous garer l'autre ? Quel est le revêtement de l'entrée de garage ? Souvenez-vous de votre beau-frère, qui a longtemps ragé lorsque son beau pavé uni a commencé à gondoler. S'agit-il d'une entrée privée ou partagée ? Si elle est partagée, vous sentirez-vous obligé de pelleter le bout d'entrée du voisin l'hiver venu ? Vous le savez bien : pelleter, vous avez horreur de ça.

• *L'aménagement du terrain.* Le terrain est-il bien aménagé ? Y a-t-il des arbres ? un jardin ? Prenez le temps d'aller vérifier ou de repasser le jour pour avoir une vision plus claire de l'état des lieux. Vous devez éviter les mauvaises surprises. J'ai déjà acheté une maison — vraiment pas chère, il faut le dire — dont la cour arrière aurait pu servir de plateau de tournage pour un film d'horreur. Le gazon était devenu du foin, il y avait des trous partout sur le terrain, vestiges laissés par le chien du dernier occupant. Des matériaux de construction jonchaient le sol et l'ensemble était délimité par un restant de clôture faite de bois pourri et de bâtons de hockey coupés. Pas très chic, croyez-moi, mais ce n'était pas ce que laissait entrevoir l'avant de la maison.

• *Le look des propriétés voisines.* Sont-elles similaires ? Construire une maison canadienne au milieu d'un parc de maisons mobiles peut vous causer quelques difficultés au moment de la revente. Même principe si vous voulez transformer entièrement une maison et que le résultat final ne se marie pas avec le style ou le type de construction des alentours.

- *Les voisins.* Sont-ils proches ou assez éloignés ? Pour le citadin, avoir des voisins à proximité est synonyme de vie et de sécurité. Pour les gens au style de vie plus campagnard, la même situation peut devenir étouffante. Où vous situez-vous ?

- *Le revêtement extérieur.* Est-il en brique, en bois ou en vinyle ? Tout le monde sait qu'une maison en brique a plus de valeur que celle recouverte de vinyle. (C'est le troisième petit cochon qui me l'a dit !) Bien sûr, une maison en bois offre un beau cachet, mais exige beaucoup plus d'entretien. Avez-vous envie de tout gratter et revernir tous les deux ans ?

- *Les petits plus.* Y a-t-il un cabanon, un garage, un abri pour l'auto, un patio ou une piscine ? Si oui, tant mieux, mais sur le prix total, ne leur consacrez pas davantage qu'une fraction de la valeur de ces biens. Pourquoi ? Parce qu'au moment de la revente, on vous fera le même coup. Ces petits plus n'ont pas de réelle valeur en soi, sauf peut-être le garage, et encore. Tous les acheteurs vous diront qu'ils n'en ont pas besoin et qu'ils ne veulent pas payer pour ça. (Bien sûr, après la transaction, votre ancien garage n'aura jamais été aussi apprécié, mais c'est le jeu de la négociation !)

- *Le toit.* Est-il en tôle ou en bardeaux d'asphalte ? Est-il en bon état ? C'est important de le vérifier, car le remplacement du revêtement du toit est une dépense importante.

- *Les portes et fenêtres.* Sont-elles en bois, en aluminium ou en vinyle ? Sont-elles en bon état ? Au même titre que le toit, les ouvertures constituent un élément capital d'une maison.

Les améliorations ou adaptations à prévoir

Que vous optiez pour une maison neuve ou une propriété existante, vous aurez sans doute à apporter certaines améliorations ou adaptations. Il s'agit de toutes ces petites choses qui sont nécessaires pour que tout soit fonctionnel et à votre goût : un crochet sur la porte d'entrée, un thermomètre à l'extérieur, une prise supplémentaire pour votre portable avec lequel vous aimez travailler dans la cuisine, un miroir vertical dans le corridor, les poignées d'armoires à assortir au style du vaisselier, la peinture du salon à refaire parce que vous trouvez plutôt insolite qu'on y ait mis du vert lime et du rose avec le plafond brun…

À chacune de vos visites, il est important que vous notiez ces éléments parce qu'ils requerront par la suite un investissement, tant personnel que financier.

« Idéal pour le bricoleur »

Que vous ayez l'âme et les aptitudes d'un bricoleur ou pas, l'achat d'une maison ayant besoin d'un coup de pinceau ou d'un peu plus représente parfois une bonne occasion. Bien sûr, les propriétés qui demandent quelques travaux ne sont pas toutes intéressantes. Cependant, pour ce qui est du rapport qualité-prix, il existe souvent de bonnes occasions d'acquisition dans ce segment de marché.

La majorité des acheteurs potentiels ne regardent même pas les maisons qui réclament un certain nombre de travaux. Mais vous ferez certainement une bonne affaire si :

- le secteur où se trouve la maison offre un bon potentiel de plus-value (augmentation de la valeur marchande) ;

- vous faites inspecter les lieux par un professionnel et obtenez un rapport détaillé des travaux à effectuer ;

- vous obtenez une estimation rigoureuse du coût de l'ensemble des travaux à effectuer ;

- vous faites évaluer la maison par un professionnel ;

- vous obtenez, après négociation, un prix inférieur à l'évaluation municipale (confirmée par celle de l'évaluateur agréé). La somme du prix payé et du coût des travaux devrait être inférieure à la valeur marchande de la maison une fois les travaux terminés.

On trouve toujours lorsqu'on cherche, mais on trouve beaucoup plus vite quand on sait ce qu'on veut ! La maison de vos rêves, **vous la reconnaîtrez si vous êtes capable de la décrire.** Vous devez préciser le prix maximal que vous pouvez vous permettre de payer, puis vos préférences personnelles de base (nombre de chambres, la taille du terrain, etc.), mais aussi le type de propriété qui vous convient le mieux. Inutile, donc, de chercher à la campagne si vos moyens vous guident plutôt vers une maison en rangée ! Utilisez tous les moyens de recherche à votre disposition : journaux, revues, Internet et, pourquoi pas, un agent d'immeubles. Visitez ensuite les propriétés qui satisfont à vos critères de base, financiers et personnels.

Vivez votre rêve à fond tout en gardant au moins un pied sur terre. Amusez-vous et trouvez votre perle rare !

De la **négociation** à la **conclusion** de **l'entente**

Vous avez trouvé la maison où vous aimeriez vivre. C'est une excellente nouvelle ! Maintenant, c'est l'heure de sortir vos talents de négociateur pour fixer avec le vendeur un prix qui vous convient. Par la suite, il vous restera à déposer une offre d'achat... et à croiser les doigts.

L'importance de la négociation

Qui négocie habilement s'enrichit rapidement. Heureusement, la négociation est un art qui s'apprend. En ce qui a trait au contrat d'achat d'une maison, la négociation entre le vendeur et l'acheteur touche principalement deux volets : le prix consenti par les deux parties et les conditions de vente.

Parfois, j'entends des gens dire qu'ils n'aiment pas négocier le prix de ce qu'ils achètent. Je les comprends très bien lorsqu'il s'agit d'une babiole achetée dans une vente-débarras ; mais avouez que l'achat d'une maison revêt une tout autre importance. J'aimerais que l'on m'explique un jour pourquoi l'augmentation du prix de l'essence de quelques sous le litre rend les gens nerveux, et même agressifs, alors qu'ils ne veulent pas faire l'effort de trouver une stratégie permettant de réduire de plusieurs milliers (voire de dizaines de milliers) de dollars le prix d'achat de leur maison. Il faut savoir fixer l'ordre de ses priorités, n'est-ce pas ?

L'importance de la négociation se résume en une seule phrase : **c'est à l'achat que vous gagnez de l'argent.** C'est aussi simple que cela. Voici les deux principaux faits qui sous-tendent ce raisonnement.

1. Au moment de la revente, vous récupérerez en argent sonnant la différence entre le prix d'achat et le prix de revente. Évidemment, plus le prix payé au moment de l'achat aura été réduit et plus l'écart sera grand. Il en résultera un plus gros bénéfice, exempt d'impôt, dont vous pourrez disposer à votre guise. C'est le principe même de la Bourse : payer le moins possible à l'achat et essayer d'obtenir le maximum à la revente.

2. Chaque tranche de 1 000 $ soustraite du prix de vente demandé initialement représente une économie substantielle sur les intérêts puisque vous économisez ces frais pour la durée totale de votre prêt hypothécaire… et, bien sûr, vous n'avez pas à rembourser la somme que vous avez réussi à retrancher du total grâce à la négociation.

La négociation, comme bien d'autres choses, fait appel à un jeu d'équilibre entre les parties, et ce, dans un contexte qui diffère d'une transaction à une autre. C'est pour cela que je préfère négocier avec des vendeurs qui veulent revendre leur propriété dans les plus brefs délais. Mieux vous saurez évaluer le contexte, comme les raisons qui motivent le vendeur, et plus vous tirerez profit de votre négociation.

Par exemple, vous devrez tenir compte du marché immobilier en général, mais aussi, plus spécifiquement, du marché pour le type de propriété que vous avez choisi, de la demande pour le secteur ainsi que de la demande pour les propriétés comparables, et ce, pour la période où vous vous trouvez. Vous ne pourrez réaliser votre rêve si vous êtes le troisième acheteur à déposer une offre d'achat le même soir, que vous proposez un prix de 20 000 $ sous la valeur marchande et que vous faites affaire avec un vendeur pas trop pressé. Par contre, j'ai eu l'occasion d'acheter, pour une bouchée de pain, une maison de campagne nécessitant une bonne remise à neuf à un vendeur qui attendait une offre depuis… trois ans !

Les 10 règles de base de la négociation

La négociation est un processus plus ou moins long qui requiert la connaissance et le respect de quelques règles de base. Voici les 10 principales à mes yeux.

1. *Maîtrisez vos émotions.* Même si l'achat d'une maison peut se révéler une expérience très éprouvante, il est important de demeurer maître de soi en toutes circonstances. La panique est toujours mauvaise conseillère. Une de mes amies a vendu sa maison au prix qu'elle demandait en 24 heures seulement. En entrant, les deux personnes lui ont dit que c'était exactement ce qu'elles cherchaient, et elles se sont mises à genoux pour l'implorer de ne pas vendre à quelqu'un d'autre pendant la nuit. Pensez-vous qu'elle aurait accepté de baisser son prix après cela ?

2. *Affichez un certain détachement.* N'agissez pas comme si votre vie dépendait de l'achat de la maison convoitée. C'est la règle élémentaire, qui n'a d'ailleurs pas été suivie par le couple dans l'exemple précédent. Si vous ne pouvez acquérir une maison ou si vous ratez une occasion, une autre s'offrira à vous. La vie est ainsi faite. Alors détendez-vous. Par ailleurs, il est évident que vous ne pourrez pas négocier de façon efficace après avoir dit ou démontré au vendeur que votre vie sera vide de sens si vous ne réussissez pas à mettre la main sur sa maison…

3. *Enlevez de la tête du vendeur tout espoir de faire une montagne de profit.* Pour ce faire, relevez tous les aspects négatifs de la maison et du secteur, même ceux qui ne vous déplaisent pas vraiment. Attention, cependant : vous devez agir avec doigté. Soyez modéré dans vos gestes comme dans vos propos. Par exemple, à l'occasion d'une visite, si vous avez de la difficulté à ouvrir la porte du garage, il est inutile d'en rajouter avec un commentaire du genre : « Ayoye ! Une ou deux gouttes de WD-40 ne lui feraient pas de tort à celle-là ! ». Le vendeur vous a vu vous tordre le poignet et cela suffit.

4. *Fixez à l'avance vos limites quant au prix et aux conditions.* Respectez par la suite ces balises. Rien ne sert de vous fixer un budget de 130 000 $ si vous allez ensuite offrir 160 000 $ pour le condo qui vous tente. Soyez ferme, même si cela entraîne la rupture des négociations. Mieux vaut refuser une contre-proposition du vendeur à 140 000 $ (si votre budget est de 130 000 $) que de vous retrouver avec la corde au cou.

5. *Utilisez l'humour.* Cela peut aider à détendre l'atmosphère entre votre interlocuteur et vous. Dans le même sens, riez des blagues du vendeur. Si ce dernier fait quelques plaisanteries, c'est qu'il se sent suffisamment à l'aise en votre compagnie, ce qui est tout à fait bon signe. Je pense qu'il faut un minimum de contact et de confiance pour faire des affaires. Ce n'est donc pas le moment de gâcher cette belle atmosphère en montrant votre côté moralisateur ou rigide.

6. *Prenez des notes au cours de la discussion.* Cela démontrera votre sérieux tout en vous permettant de nouer une ébauche d'entente. Vérifiez, ce faisant, si vous avez bien compris ce que votre interlocuteur vous a dit. Les psychologues appellent cette stratégie « reformulation ». Par exemple, vous commencez une phrase par « si j'ai bien compris… », « nous avons bien dit que… » ou

encore «vous êtes d'accord avec nous sur le fait que…» Le vendeur se sentira écouté et compris. Vous pourrez ainsi mieux cerner ses attentes. Et, entre deux offres similaires, je parierais sur la vôtre !

7.   *Faites face aux objections du vendeur comme si vous étiez un détective.* Votre travail consiste à trouver LA vraie raison qui se cache derrière chaque objection. Par exemple, j'ai acheté deux triplex à Trois-Rivières sans mettre un sou dans l'affaire. Évidemment, le vendeur, un fonctionnaire de carrière qui était alors à trois ans de la retraite, me disait ne pouvoir accepter mon offre (le prix avait déjà été négocié et entendu), car il avait besoin de cet argent. En discutant, surtout en le faisant parler et en l'écoutant, j'ai fini par découvrir la vérité ; il avait peur de perdre ses pesos. Sachant cela, j'ai pu le rassurer et nous avons conclu la vente.

8.   *Démontrez que vous êtes sérieux.* Démarquez-vous des autres acheteurs. Habillez-vous convenablement et soyez pile à l'heure pour la visite. Prouvez au vendeur qu'il ne perd pas son temps avec vous. Parlez-lui des démarches que vous avez faites jusqu'alors. Faites-lui savoir par vos paroles, et aussi par vos faits et gestes, qu'aucun visiteur n'est aussi déterminé que vous. Descendez au sous-sol malgré les toiles d'araignée. Montez au grenier et restez-y le temps de vérifier les chevrons et l'isolation, même si la chaleur vous fait perdre trois litres de sueur !

Prouvez que votre décision d'acheter une maison (pas nécessairement la sienne, par contre) est ferme et qu'il peut compter sur votre solvabilité. Montrez-lui votre dossier de crédit… s'il joue en votre faveur. Sinon, vous pourrez toujours lui fournir une copie de l'entente avec votre institution financière concernant votre prêt préapprouvé. L'important est que vous fassiez en sorte que le vendeur sache clairement que vous avez les moyens et la ferme intention de devenir propriétaire, et que vous êtes en train d'agir en ce sens.

9. *Tout au long du processus, représentez une solution pour le vendeur et non un problème supplémentaire.* En d'autres termes, ne cédez pas à la tentation de vous épancher sur vos problèmes et vos frustrations. Ça ne l'intéresse pas de savoir que vous avez eu des problèmes avec le propriétaire de votre immeuble. Prenez plutôt conscience de ses problèmes et essayez de trouver des solutions. De cette façon, qui ne voudrait pas traiter avec vous ?

10. *Faites une sortie de gentleman.* Quoi qu'il advienne, il est inutile d'exprimer vos frustrations au vendeur (les siennes lui suffisent amplement). Mettez plutôt l'accent sur les aspects positifs (il y en a toujours) de la personne, de la maison ou de la situation. Faites-le sincèrement. Si la transaction a été conclue, remerciez le vendeur d'avoir fait de vous un propriétaire heureux et d'avoir contribué à votre rêve.

L'aspect humain de la négociation

Il est important d'établir d'abord une relation de confiance entre vous et le propriétaire vendeur. L'être humain a besoin de se sentir considéré ; vous en connaissez sûrement qui seraient prêts à vendre à moindre prix en échange de ce sentiment. Il ne coûte rien d'agir avec respect et considération. Dans le cas contraire, vous risquez fort de vous retrouver en face d'un interlocuteur qui, se sentant menacé, campera sur ses positions et sera sur la défensive. Trouver l'équilibre entre les parties permet de trouver une issue satisfaisante pour tous, de type gagnant-gagnant.

La première règle à respecter est de rester vous-même afin que votre langage non verbal envoie un message de sincérité. Demandez aussi à votre interlocuteur comment vous devriez l'appeler. Faites l'effort de retenir la réponse que l'on vous donnera, sinon vous risquez de créer l'effet contraire. Il n'y a rien de plus doux à l'oreille d'une personne que son nom ou prénom. L'aviez-vous déjà remarqué ? Un truc simple pour retenir le nom d'une personne est de faire une association mentale avec quelqu'un que vous connaissez qui porte le même nom, ou encore de vous le répéter mentalement à quelques reprises.

Si la différence d'âge qui vous sépare est importante, demandez également à votre interlocuteur s'il voit un inconvénient à ce que vous vous tutoyez afin de simplifier la communication. Prenez le temps de respecter ces conventions auxquelles certaines personnes accordent encore beaucoup d'importance.

Pour faire de bonnes affaires, il faut d'abord devenir amis. Traitez votre interlocuteur tel que vous traiteriez votre meilleur ami. Vous serez surpris des résultats. De grâce, ne commettez pas l'erreur d'agir et de parler comme si la négociation était pour vous un combat à finir. Voyez-la plutôt comme une danse où vous devez être attentif et en harmonie avec votre vis-à-vis afin de ne pas lui marcher sur les pieds.

Une fois le cadre établi, prenez le temps de *faire parler* votre interlocuteur de lui. Posez des questions ouvertes et *écoutez* les réponses. Laissez la personne vous parler de ce qu'elle aime dans la vie, de ses enfants (même si vous ne les connaissez pas), de son travail, de ses passe-temps, etc. Ne faites pas l'erreur de l'interrompre ou de regarder votre montre. Soyez respectueux, attentif à ses propos et surtout, encore une fois, intéressez-vous sincèrement à ce que l'on vous dit. Vous serez étonné de constater à quel point les gens vous trouveront sympathique si vous adoptez cette attitude. Vous établirez ainsi un climat de confiance et découvrirez peut-être les motivations profondes qui font que votre interlocuteur désire vendre sa propriété. C'est de cette façon que vous pourrez proposer des compromis et arriver à une entente.

Quand j'ai acheté ma première maison, le vendeur, assez âgé, quittait sa demeure pour aller vivre en résidence. Ses enfants ne savaient pas trop quoi faire avec tous les meubles et autres objets qui avaient plus ou moins de valeur, que personne ne voulait et que le vendeur ne pouvait apporter. De mon côté, j'étais impatient d'emménager. Je leur ai proposé de laisser sur place les objets dont ils ne voulaient pas, ce qu'ils ont été heureux de faire. En échange, j'ai pu prendre possession de la maison deux semaines plus tôt que prévu, après quoi j'ai simplement appelé un organisme de charité. En deux heures, tout était embarqué. Rien de plus simple !

Faites l'effort de trouver des solutions aux problèmes du vendeur. Demandez-lui ce qu'il compte faire avec l'argent de la vente. Peut-être connaissez-vous quelqu'un qui a un chalet à vendre comme celui qu'il semble chercher. Faites cet effort et la transaction sera pratiquement conclue !

Des trucs de pro

Dans toute discipline, le profane a besoin d'une méthode d'approche, une façon de faire, une recette, des techniques formant un processus devant mener à un but fixé. Voici quelques techniques clés qui mènent à une transaction réussie.

Le chéquier du millionnaire

Cette technique est très amusante puisque, comme son nom l'indique, vous posez la même question que les gens très riches lorsqu'ils veulent quelque chose en sortant leur chéquier : si je vous faisais un chèque dès maintenant, quel serait votre prix de vente final ? Tout ce qu'il vous reste à faire ensuite est de vous taire et d'attendre la réponse. Vous devez demeurer muet comme une tombe et garder votre sérieux. Vous serez surpris des résultats. Souvent, les vendeurs demandent beaucoup plus que ce qu'ils espèrent vraiment.

Le vendeur

Cette technique ne peut être utilisée que dans un contexte où le marché est favorable aux acheteurs, car elle requiert du temps, ce qui n'est pas le cas en période de pénurie de propriétés. Par contre, si vous savez que vous êtes le seul acheteur sérieux que le vendeur a eu la chance de rencontrer depuis un bon moment, cette technique peut être très efficace. Elle recommande que le vendeur s'investisse le plus possible dans sa relation avec vous. À titre d'acheteur, vous démontriez de votre côté, d'une part, un intérêt grandissant pour la maison et, d'autre part, le besoin d'une autre information, d'une autre visite pour vérifier un point ou d'une autre rencontre avec le vendeur afin de vous décider. Chaque fois, vous en obtenez un peu plus. Pour vous, il n'est pas urgent de conclure rapidement la transaction. Vous avez le temps et le vendeur n'a pas d'autre acheteur en vue. À la fin, il aura tellement travaillé pour que cette transaction ait lieu qu'il ne voudra pas prendre le risque de perdre sa vente; cela reviendrait à dire qu'il a également perdu son temps et son énergie. Mais attention, vous devez être seul dans la course !

L'escalier descendant

Une fois que vous connaissez le prix de vente demandé, vous devez à votre tour poser des questions qui amèneront le vendeur à diminuer son prix, telles que : accepteriez-vous un prix inférieur à 150 000 $? (Le prix demandé est de 160 000 $.) Accepteriez-vous une offre sous la valeur marchande ? (Le vendeur et vous savez qu'elle équivaut à 145 000 $.) Accepteriez-vous une proposition d'achat dont le prix serait inférieur à la valeur municipale (139 500 $) ? Le vendeur se bâtit chaque fois une nouvelle réalité, mais de façon progressive. C'est aussi une technique qui fonctionne.

Monsieur ou Madame Solution

Tous les vendeurs voudront faire affaire avec vous si vous savez vous transformer en Monsieur ou Madame Solution ! Comme le nom de cette technique l'indique, le but est de démontrer au vendeur l'ensemble des nombreux avantages dont il profitera en vous vendant sa propriété. Vous devez démontrer au vendeur que VOUS représentez la solution à ses problèmes. Rien de moins ! Cependant, vous devez faire preuve d'originalité et apporter des solutions concrètes et mesurables.

Par exemple, en discutant avec le vendeur, vous apprenez qu'il désire acquérir (grâce à la vente de sa maison) une roulotte pour voyager aux États-Unis. Vous lui proposez alors comme partie de l'acompte initial la roulotte que votre beau-frère désire vendre. Vous concluez une entente flexible avec votre beau-frère pour le paiement de la roulotte. Vous proposez également au vendeur de lui présenter l'un de vos bons amis qui est directeur des ventes chez un concessionnaire automobile et qu'ainsi vous pourrez lui obtenir une réduction appréciable sur le prix de vente du camion dont il aura besoin pour tirer sa nouvelle roulotte. Pourquoi pas ? Demandez, proposez. Vous verrez bien !

Un autre exemple : vous apprenez que le vendeur en a plus qu'assez d'effectuer les travaux d'entretien que requiert sa maison. Vous lui proposez alors de tondre le gazon dès le lendemain suivant la conclusion de l'offre d'achat, et de continuer à jouer gratuitement les hommes à tout faire jusqu'à l'entrée en possession des lieux. Vous voyez, c'est simple !

La rumeur qui fait peur

Au cours de vos recherches, vous serez amené à rencontrer beaucoup de gens : des vendeurs, des voisins, des agents et des courtiers en immobilier, et d'autres encore. Vous serez à l'affût également des autres sources d'information par l'intermédiaire de l'Internet, des médias, des babillards, etc. Vous apprendrez donc nécessairement une foule de nouvelles, souvent fondées, mais parfois moins fiables, affectant d'une façon ou d'une autre votre décision d'acheter, que ce soit en ce qui a trait au type de propriété, au choix du secteur et au moment de la transaction.

La technique de la rumeur consiste tout simplement à utiliser les informations qui vous seraient préjudiciables et de les communiquer au moment opportun au vendeur afin de l'inciter à vous accorder un avantage compensatoire. Par exemple, si vous décidiez de vous installer dans la région de Beauharnois, vous pourriez faire allusion au projet de construction de la centrale du Suroît. Si vous envisagiez plutôt d'acheter une propriété dans la région du Saguenay, vous pourriez expliquer au vendeur que vous craignez les inondations. Chaque région ou ville a son épée de Damoclès, qui peut effrayer, avec raison ou non, les acheteurs potentiels.

Le bon et le méchant

Cette technique de négociation est très à la mode dans les films à suspense (et dans la vie), où les policiers chargés d'obtenir des informations lors de l'interrogatoire jouent chacun un rôle. Il y a d'abord le « méchant » policier, qui est prêt à faire subir au prévenu les pires tortures afin d'obtenir un aveu. Heureusement, le « bon » policier entre en scène précisément à ce moment et protège l'accusé, qui, pour remercier son ange gardien, révèle finalement la vérité.

Dans le contexte de l'achat d'une maison, il m'est arrivé de voir des couples agir de la sorte. L'un des deux faisait semblant d'être intraitable et relevait tous les aspects négatifs alors que l'autre tentait d'amenuiser ces éléments avec le vendeur afin de conclure la transaction.

Personnellement, je considère qu'il est préférable de laisser cette technique aux acteurs de cinéma. Restez plutôt naturel et développez une relation amicale avec le vendeur, basée sur l'honnêteté. Par contre, si vous avez un conjoint ou un ami vraiment bougon qui peut jouer ce rôle avec naturel, alors pourquoi pas ?

La liste d'épicerie, ou la monnaie d'échange

Voici une technique simple et intéressante qui, en outre, ne présente aucun risque. Intéressant, n'est-ce pas ? Il suffit de dresser une liste — la plus longue possible — de ce que vous voulez obtenir (même si vous ne le voulez pas vraiment). Par exemple, un prix de vente réduit de 5 000 $, des accessoires à inclure dans la transaction (tondeuse, meubles, outils de jardinage), des conditions de financement plus avantageuses (aucun acompte à la signature, un solde à payer l'année prochaine), l'entrée en possession la semaine suivant la signature de l'offre d'achat, etc. Par la suite, vous déterminez ce qui est essentiel (non négociable) et ce qui ne l'est pas. Révisez ensuite votre liste point par point avec le vendeur. Bien sûr, vous devez lui présenter les choses de façon à ce qu'il leur accorde une importance égale. De cette façon, vous pourrez, au pire, utiliser les éléments les moins importants comme monnaie d'échange en contrepartie des points qui vous tiennent à cœur. Au mieux, vous obtiendrez plus que ce que vous n'espériez.

Par exemple, à l'achat d'une maison, j'avais proposé au vendeur de conclure la transaction si, de son côté, il acceptait de refaire et de peindre la galerie avant de la maison. J'aurais acheté cette maison même s'il avait refusé ma demande, mais il l'a acceptée !

Qui a dit que cette maison valait ce prix?

Durant la négociation, le vendeur demande un prix et des conditions supérieurs à ce qu'il espère. De son côté, l'acheteur offre moins que ce qu'il est prêt à payer en réalité. Ainsi, le vendeur et l'acheteur ont chacun un barème de prix qui leur convient respectivement. Il y a entente puis transaction lorsque le prix de vente final entre dans une marge acceptable pour les deux parties.

C'est également vrai pour les périodes où le marché est gonflé à bloc, comme à Montréal en 2004. Les vendeurs espèrent et obtiennent plus parce que les acheteurs ont accepté de payer un prix plus élevé. La zone d'entente continue d'exister, mais est révisée à la hausse à cause de la demande croissante. Dans tous les cas, les deux parties estimeront tant bien que mal la valeur relative de la propriété en se basant généralement sur les trois évaluations les plus courantes décrites ci-dessous : l'évaluation municipale, la valeur du marché et la valeur de remplacement.

L'évaluation municipale

L'évaluation municipale d'une propriété se retrouve inscrite noir sur blanc sur le relevé que la municipalité envoie chaque année à l'ensemble de ses contribuables propriétaires d'un bien immobilier situé sur son territoire, afin de percevoir les taxes municipales.

De prime abord, l'évaluation municipale tend davantage vers une évaluation de référence plutôt que vers une évaluation réelle, et ce, pour plusieurs raisons. Tout d'abord, bien que les évaluateurs municipaux soient habituellement des professionnels agréés, leur estimation de la valeur d'une propriété n'est réellement juste, comme pour toutes les évaluations, que pour une courte période de temps. En effet, plus un marché est actif, plus courte est la période au cours de laquelle une évaluation est valide. Puisque les municipalités ne procèdent qu'occasionnellement à une réévaluation des propriétés situées sur leur territoire, il est important de vérifier la date du dernier rôle d'évaluation afin de déterminer la justesse de l'évaluation municipale.

De plus, afin d'économiser, les municipalités vont simplement majorer les évaluations d'un certain pourcentage plutôt que de réévaluer l'ensemble des propriétés. Elles peuvent augmenter le pourcentage de taxation tout en gardant la même valeur pour les propriétés, ou encore garder le pourcentage de taxation fixe, mais augmenter alors la valeur des propriétés sur lequel il est appliqué. Voilà, en partie, pourquoi une propriété en particulier peut, en réalité, valoir plus ou moins que son évaluation municipale.

La valeur du marché

Comme son nom l'indique, la valeur du marché d'une propriété représente en théorie la valeur qu'un acheteur serait prêt à payer à l'intérieur d'un délai raisonnable de mise en vente. De nouveau, la valeur du marché demeure une estimation car, bien sûr, la valeur réelle d'une propriété ne peut être assurée que suivant une transaction effective.

Afin d'estimer la valeur du marché, les agents et courtiers en immobilier pourront vous donner un aperçu de la valeur d'une propriété en se basant sur les dernières ventes réalisées dans ce secteur pour des propriétés similaires. Les évaluateurs agréés vont également baser leur estimation sur le prix de vente de propriétés semblables, du même secteur, et ce, transigées au cour d'une période récente, habituellement moins de six mois. C'est ce qu'on appelle, dans le jargon immobilier, des « comparables ».

La valeur à neuf

Il s'agit ici d'une estimation de ce qu'il en coûterait pour reconstruire le plus exactement possible cette résidence tout en tenant compte des coûts des matériaux et de la main-d'œuvre d'aujourd'hui. La valeur à neuf de remplacement est très utilisée par les compagnies d'assurances, désireuses de savoir ce qu'il en coûterait pour reconstruire une propriété à la suite d'un sinistre. C'est la valeur de remplacement qui fait dire parfois aux vendeurs : «Si tu devais construire la même chose aujourd'hui, ça te coûterait facilement 200 000 $, alors à 155 000 $, c'est vraiment donné!»

Parfois, au Québec, on a tendance à percevoir la négociation de façon négative. Peut-être qu'à force de se faire marteler qu'on est nés pour un petit pain, on est encore mal à l'aise face à la réussite ? C'est bien dommage. Pourtant, dans d'autres cultures, en Afrique du Nord par exemple, c'est exactement le contraire. Au Maroc, le fait de ne pas négocier est même mal vu !

Je vous suggère d'étudier et surtout d'utiliser les techniques de négociation proposées et ce, chaque fois que vous devez ouvrir votre porte-monnaie, que ce soit avec le propriétaire de la maison que vous voulez acheter, votre institution financière, votre agent d'immeubles ou l'entrepreneur en construction. Je suis persuadé que vous trouverez toujours quelque chose à faire avec l'argent ainsi économisé ; sinon, il y a un tas d'organismes sociaux à appuyer !

L'offre d'achat

Une fois que vous avez négocié avec le vendeur, vous devez officialiser votre position en lui présentant une offre d'achat, aussi appelée «promesse d'achat». Ce document est un contrat qui vous lie juridiquement. Si l'offre d'achat est signée par le vendeur, elle vous engage à acheter la propriété, à moins que des clauses conditionnelles mentionnées ne soient pas remplies (un rapport d'inspection insatisfaisant, par exemple). Le plus souvent, les clauses conditionnelles ajoutées à l'offre d'achat par l'acheteur concernent l'inspection de la propriété et l'obtention du financement.

Il arrive que la promesse d'achat fasse partie d'un contrat de location. Dans ce cas, les parties doivent s'entendre sur la portion du loyer à verser entre la signature de l'entente et sa mise en œuvre, montant qui pourra servir de mise de fonds. Le locataire acheteur désirera que 100 % des sommes versées sous forme de loyer soit déduit du prix de vente à titre de mise de fonds, alors que le propriétaire vendeur tentera d'obtenir le contraire.

Voici ce que vous devez inclure dans votre offre d'achat :

- *L'identification des parties :* nom et prénom, adresse, occupation, date de naissance.

- *L'adresse de la propriété* faisant l'objet du contrat.

- *Le prix offert.* S'il s'agit d'une première proposition, faites une offre inférieure au montant maximum que vous êtes prêt à payer en réalité, car le vendeur tentera sans doute de négocier ce prix.

- *Les biens inclus dans la transaction.* Par exemple, les rideaux, fixtures, appareils électroménagers, etc. Même s'ils sont inscrits dans l'annonce de la propriété, vous devez les énumérer par écrit dans votre offre.

- *Les détails financiers.* La mise de fonds, le montant du financement hypothécaire et celui de l'acompte offert ; l'acompte est un montant versé immédiatement au vendeur et qui sert à lui prouver que vous êtes un acheteur sérieux. Cette somme, qui ne dépasse généralement pas 10 % du prix d'achat, est déduite du prix final au moment de la signature de l'acte de vente. Bien sûr, si l'offre d'achat est refusée, l'acompte vous sera remboursé.

- *La date et l'heure d'expiration de votre offre d'achat.* Ces données très importantes doivent impérativement apparaître sur votre offre. Passé ce délai, si elle n'est pas signée par le vendeur, l'offre devient caduque. Je donne rarement plus de 48 heures au vendeur pour se décider, parfois 12. Faites la même chose : vous mettrez ainsi un peu de pression sur les épaules du vendeur tout en vous permettant de savoir rapidement à quoi vous en tenir.

- *La date de conclusion.* Cette date correspond au jour où vous prenez possession de la maison. C'est aussi à ce moment que vous commencez à assumer vos paiements hypothécaires.

- *La demande d'obtention d'un certificat de localisation* récent de la propriété.

Le vendeur utilise souvent l'offre d'achat proposée comme base à partir de laquelle il constituera une contre-proposition. Celle-ci reprend normalement un certain nombre d'éléments contenus dans l'offre initiale et en modifie certains ou en ajoute d'autres. Par exemple, vous faites une offre d'achat de 112 000 $ sur une propriété de 126 000 $. Vous recevez une contre-proposition dans laquelle le vendeur vous propose un prix de 120 000 $ tout en acceptant de vous laisser le tracteur à pelouse et de prendre possession à la date qui vous convient. Pas mal !

Il est important de noter que la partie qui fait la contre-proposition rend l'offre initiale caduque par la même occasion. En effet, une contre-proposition est l'équivalent d'un refus de l'offre précédente. C'est comme un élastique étiré : il peut juste se déformer un peu... ou vous pincer les doigts !

Notons par ailleurs qu'on ne doit pas confondre offre d'achat et option d'achat : la première est un engagement ferme d'acheter si certaines conditions sont remplies et si le vendeur accepte la proposition. La seconde est simplement un premier droit de regard consenti par le propriétaire d'une propriété à un acheteur potentiel, qui en est le plus souvent le locataire. L'acheteur potentiel qui détient une option d'achat bénéficie d'un délai, allant de quelques heures à quelques semaines, pour prendre une décision et effectuer la transaction. Une fois ce délai écoulé, l'entente est annulée et le vendeur peut alors transiger avec n'importe quel autre acheteur. Personnellement, je n'ai jamais vu le locataire d'une maison se prévaloir de son option d'achat. C'est à croire que vivre dans une maison, ça vous enlève l'envie de l'acheter !

Le contrat de vente

Un des rôles du notaire est d'officialiser, par un contrat de vente notarié, la transaction établie par l'offre d'achat et signée par les deux parties. À l'intérieur du contrat de vente, différents points importants qui engagent le vendeur seront mentionnés. Tout d'abord, il sera question, bien entendu, de la délivrance du bien ou, si vous préférez, de la **passation officielle des droits de propriété** de la maison. Le Code civil du Québec stipule à cet effet que le vendeur doit «délivrer le bien dans l'état où il se trouve lors de la vente, avec tous les accessoires» (art. 1718) ainsi que «remettre à l'acheteur les titres de propriété qu'il possède, ainsi que (…) une copie de l'acte d'acquisition de l'immeuble, de même qu'une copie des titres antérieurs et du certificat de localisation qu'il possède» (art. 1719). Je vous suggère de vous coucher tôt la veille de votre rendez-vous chez le notaire, car autrement vous risquez de vous endormir en cours de lecture…

De plus, le contrat de vente doit stipuler que le vendeur garantit qu'il est le **véritable propriétaire** légal du bien immobilier faisant l'objet de la transaction (art. 1723).

Un dernier point d'importance : l'obligation du vendeur de garantir la **qualité de l'immeuble** qu'il vend (art. 1726). Malgré cela, certains vendeurs taisent encore des problèmes affectant leur propriété. Par exemple, un jeune couple de mon entourage a acheté une maison en 2003. Au printemps suivant, il s'est aperçu que le sous-sol prenait l'eau comme un bateau en train de couler. L'ancien propriétaire, que les acheteurs poursuivent pour vice caché, leur a dit: «Quand t'achètes une maison, t'achètes les problèmes qui vont avec!» Belle tentative de se défiler... Mais dans les faits, le vendeur ne peut se cacher derrière ce genre de phrase toute faite (art. 1733). Il connaissait l'existence du problème, n'a rien fait pour en informer l'acheteur potentiel ou corriger la situation, il a alors sa part de responsabilité. Il faut cependant admettre que l'existence du vice caché avant l'achat et le fait que le vendeur était conscient du problème sont difficiles à prouver.

Cet exemple malheureux vient appuyer la nécessité de s'entourer de professionnels compétents au moment de l'achat d'une maison, ce qui offre une protection supplémentaire.

Le **financement hypothécaire**

Le financement hypothécaire est généralement la bête noire de l'acheteur de première maison. Avez-vous peur de « ne pas passer à la banque » ? De ne pas choisir les bonnes options ? Vos craintes sont compréhensibles, mais justifiées uniquement par le manque d'information. Braquons le projecteur sur le sujet : vous verrez que les choses sont plus simples qu'il n'y paraît.

En matière de financement hypothécaire, **trois aspects** doivent être pris en considération :

1. *L'importance de la mise de fonds* (aussi appelée comptant initial), laquelle représente un certain pourcentage du prix d'achat. C'est l'argent comptant dont vous disposez pour acheter.

2. *Le prêt hypothécaire,* qui comble la différence entre le prix payé et la mise de fonds. C'est le prêt que vous consent votre institution financière pour vous permettre de payer entièrement le vendeur, et en échange de quoi elle conserve votre maison en garantie.

3. *La capacité financière de l'emprunteur à rembourser* le capital et les intérêts de son hypothèque à l'institution prêteuse. La question est de savoir si vous allez y arriver.

La mise de fonds

La mise de fonds, ou comptant initial, est un apport financier que complète le financement hypothécaire. Plus la mise de fonds est importante, moins l'hypothèque est élevée et moins il y a d'intérêts à payer. C'est très logique et c'est ce qui explique qu'une propriété payée comptant n'a pas besoin d'hypothèque et que son propriétaire peut en jouir sans payer d'intérêts. Mais ça, c'est l'exception. D'où l'intérêt de ce chapitre !

Les intérêts suivant la mise de fonds

L'hypothèque et la mise de fonds sont inversement proportionnelles. Autrement dit, au moment de l'achat, votre hypothèque sera d'autant moins élevée que votre mise de fonds sera grande, et vice versa. Afin de rendre cette règle plus concrète, voici un tableau qui résume trois scénarios basés sur un même exemple.

UNE MAISON, TROIS MISES DE FONDS

Prix d'achat de la maison : 100 000 $
Taux d'intérêt stable à 6,75 %
Amortissement de 20 ans
Aucune assurance (vie ou invalidité) n'a été ajoutée au prêt hypothécaire.

Mise de fonds (% du prix d'achat)	Mise de fonds (en $)	Hypothèque (en $)	Intérêts à payer (total en $)
a) 5	5 000	95 000	76 153
b) 10	10 000	90 000	72 146
c) 25	25 000	75 000	47 626

---

a) 20 ans x 52 versements annuels = 1 040 versements de 164,57 $ = 171 153 $
   171 153 $ – 95 000 $ = 76 153 $ (intérêts à payer)

b) 20 ans x 52 versements annuels = 1 040 versements de 155,91 $ = 162 146 $
   162 146 $ – 90 000 $ = 72 146 $ (intérêts à payer)

c) 20 ans X 52 versements annuels = 1 040 versements de 117,91 $ = 122 626 $
   122 626 $ – 75 000 $ = 47 626 $ (intérêts à payer)

Analyse : l'augmentation de la mise de fonds de 5 % à 25 % représente un apport en capitaux supplémentaire de 20 000 $ (25 000 $ – 5 000 $). Mais cet apport produit, sur la même période (20 ans), une économie de 28 527 $ (76 153 $ – 47 626 $). Alors, parfois, ça vaut la peine de vendre sa Harley pour augmenter le montant de sa mise de fonds. (En plus, vous ne vous plaindrez plus qu'il ne fait jamais assez beau pour la sortir !)

Qu'est-ce qu'une hypothèque ?

Une hypothèque, c'est une corde autour du cou. Mais non, c'est juste un prêt consenti par une institution financière et garanti par un bien immobilier, votre propriété.

Parce qu'elle est garantie par un bien immobilier, l'hypothèque a un taux d'intérêt inférieur à celui d'un prêt personnel ou d'une marge de crédit, le plus souvent consentis sans garantie. Au cas où vous ne l'auriez pas encore remarqué, les cartes de crédit sont la forme de crédit ayant le taux d'intérêt le plus élevé. Pourquoi ? Parce que les institutions assument un plus grand risque puisque le consommateur peut utiliser sa carte un peu partout et acheter n'importe quoi sans avoir à donner une garantie.

Les prêts hypothécaires ne sont nécessaires que parce que la grande majorité des gens ne peuvent, pour des raisons financières évidentes, payer une propriété comptant. (Dans ce cas, il serait question d'une mise de fonds de 100 %.)

L'hypothèque est la différence entre le prix payé et la mise de fonds. Prenez l'exemple d'une offre d'achat acceptée (signée) par le vendeur de ce condo pour lequel vous vous êtes entendus sur un prix : 180 000 $. Si votre mise de fonds est de 20 000 $, votre demande d'hypothèque sera d'un montant de… ? Bravo ! c'est bien ça, 160 000 $. Vous avez tout compris. Il ne vous reste plus qu'à négocier un taux d'intérêt avantageux, choisir une durée de remboursement en années (amortissement) et fixer la durée de votre contrat (terme). Sauf dans le cas d'un prêt hypothécaire ouvert, vous ne pourrez renégocier sans pénalité les clauses de votre contrat avant la fin du terme. De plus, vous ne pourrez rembourser, sans tenir compte de vos paiements, qu'un montant supplémentaire en capital représentant habituellement 15 % de votre emprunt initial.

Voyons tout cela d'un peu plus près afin que vous puissiez en tirer le meilleur parti possible.

Les différents types d'hypothèques

Pour attirer de nouveaux clients, les institutions financières ne cessent d'inventer de nouveaux produits. Dans la section qui suit, je vais dresser un bref portrait de ce merveilleux monde du financement hypothécaire et de ses principales options.

L'hypothèque préautorisée

Voilà une option intéressante, surtout pour ceux qui aiment savoir à quoi s'en tenir dès le départ. En effet, vous pouvez, dès le moment où vous commencez à chercher une maison, faire une demande d'hypothèque préautorisée. Comme son nom l'indique, il s'agit d'un prêt autorisé à l'avance par l'institution financière. Elle est basée sur l'évaluation de votre situation financière actuelle.

Très utile pour confirmer le sérieux d'une offre d'achat, l'hypothèque préautorisée vous garantit également, pendant un certain temps, le maintien du taux d'intérêt en vigueur au moment de la négociation du prêt hypothécaire avec l'institution financière. Vous êtes donc protégé contre les hausses de taux ; et comme il s'agit d'un «plafond», cela ne vous empêche pas de bénéficier d'une baisse des taux, le cas échéant, au moment de la signature du contrat.

L'hypothèque à taux fixe

Comme son nom l'indique, ce type d'hypothèque garantit à l'emprunteur un taux d'intérêt stable, peu importe qu'il se produise, sur le marché immobilier ou dans le monde, des événements susceptibles d'influer sur le taux de base.

L'acheteur choisit en général le taux fixe pour **deux raisons.**

1. *Les taux d'intérêt sont susceptibles d'augmenter.* C'est du moins ce que prévoient les analystes financiers en tenant compte des indicateurs économiques. Pour que le taux fixe soit avantageux, cette hausse doit être rapide, durable et appréciable (au moins 1,3 %, disent les spécialistes). Cette hausse assez élevée est de plus en plus rare. Voilà pourquoi je ne vous suggère pas de choisir un taux fixe.

2. *L'équilibre budgétaire familial est précaire.* Il est alors sage de payer un peu plus pour avoir l'assurance que le montant des versements hypothécaires ne sera pas augmenté, ce qui pourrait causer des difficultés, voire l'impossibilité d'y faire face. Cela peut être particulièrement intéressant au cours des premières années suivant l'acquisition, alors que les intérêts représentent une part importante des remboursements hypothécaires. Dans ce cas, une légère

hausse des taux d'intérêt peut représenter une forte augmentation de la somme à rembourser. Pour beaucoup, c'est le début de l'insomnie !

Le taux fixe peut être considéré comme un pari que fait l'emprunteur sur le moment où les taux d'intérêt monteront, lorsqu'il croit que cela se produira pendant son terme hypothécaire. Il faut cependant souligner ici que les analyses ont démontré qu'à long terme l'emprunt hypothécaire à taux fixe est plus coûteux que celui à taux variable. L'assurance qu'offre cette hypothèque a donc un prix. Une maison, ça coûte déjà assez cher comme ça, vous ne trouvez pas ?

L'hypothèque à taux variable

Le taux d'intérêt de cette hypothèque est inférieur à celui d'une hypothèque à taux fixe à cause du risque de hausse des taux. Par contre, le taux variable permet à l'emprunteur de bénéficier d'une économie d'intérêts lorsque les taux baissent. De plus, et comme son nom l'indique, l'hypothèque à taux variable est instable et n'offre aucune protection contre les hausses de taux, ceux-ci étant liés, comme vous le savez, aux fluctuations du marché.

En général, un emprunteur choisit une hypothèque à taux variable pour **trois raisons.**

1. *Pour pouvoir jouir d'une bonne capacité de remboursement.* Comme le taux est plus bas, vous êtes avantagé. De plus, chaque baisse de taux vous permet, avec un paiement qui demeure le même, de rembourser plus de capital. Votre dette diminue donc plus rapidement !

2. *Pour conserver une stabilité économique,* qui vous permet de faire face à une hausse des taux d'intérêt. Tant que les taux se maintiennent ou sont à la baisse, vous réduisez votre endettement parce que vous payez plus de capital que si vous aviez choisi le taux fixe

(plus d'intérêts). De ce fait, au moment où les taux commenceront à remonter, vous pourrez «fixer» votre taux d'intérêt. La plupart des institutions financières vous offrent la possibilité de choisir un taux d'intérêt variable avec l'option, sans pénalité et pour la durée de votre terme, de revenir à un taux fixe. Cela est particulièrement intéressant si les taux d'intérêt sont élevés au moment où vous négociez votre prêt, mais que les indicateurs financiers (ou votre intuition!) indiquent une baisse imminente ou en cours.

Vous aurez bénéficié de taux plus bas pour un temps. Votre dette sera réduite, alors votre nouveau paiement pourra être moindre. Plus votre dette est réduite, plus il est facile de faire face à une augmentation des taux.

3. *Pour pouvoir diminuer la durée de l'amortissement de votre prêt.* Si vous effectuez toujours le même paiement, malgré une baisse de taux, vous rembourserez plus de capital et vous prendrez donc moins de temps que prévu pour rembourser complètement votre hypothèque.

Le prêt hypothécaire ouvert

L'adjectif «ouvert» signifie ici que vous pouvez renégocier les clauses de votre contrat hypothécaire pendant la durée de votre terme. Il s'agit donc d'un contrat flexible, particulièrement utile si vous prévoyez que votre situation subira des changements importants.

Par exemple, si votre propriété est à vendre et que vous pensez pouvoir bientôt conclure une transaction, le prêt hypothécaire ouvert vous évite alors de devoir payer la pénalité habituellement prévue dans un contrat fermé en cas de remboursement total du solde hypothécaire avant la fin du terme. Il est également possible de passer, sans pénalité, d'un contrat de prêt hypothécaire ouvert à un contrat fermé pendant le terme.

Le prêt hypothécaire fermé

Cette formule est l'inverse du prêt hypothécaire ouvert. En l'adoptant, vous ne pouvez espérer en renégocier les clauses pendant votre terme, à moins de payer des pénalités. Cependant, cette hypothèque offre en général un taux un peu plus avantageux que celui du prêt hypothécaire ouvert.

La durée de l'hypothèque

Pour ce qui est de la durée d'une hypothèque, deux choses sont à surveiller : **le terme** et **l'amortissement.** Ces deux éléments se retrouvent toujours dans un contrat hypothécaire. Ici, l'adage «le temps, c'est de l'argent» prend tout son sens.

Le terme hypothécaire

Le terme est la durée du contrat vous liant à l'institution financière qui vous a consenti un prêt hypothécaire. En général, vous ne pouvez renégocier certaines clauses de votre contrat hypothécaire avant la fin du terme, à moins de payer des pénalités.

Le terme varie de 3 mois à 10 ans (ou plus). Sa durée peut être équivalente à celle de l'amortissement, mais, dans la majorité des cas, elle y est nettement plus courte.

L'amortissement hypothécaire

L'amortissement hypothécaire est la période sur laquelle vous étalerez vos paiements hypothécaires. Plus cette période sera longue, plus vous payerez des intérêts. Voilà pourquoi il est préférable que l'amortissement soit le plus court possible.

Toutefois, et comme l'indique l'exemple en page 116, plus cette période sera courte, plus vos paiements hypothécaires seront élevés, puisque vous aurez à rembourser une plus grande partie du capital à chaque versement.

Afin d'éviter des remboursements hypothécaires accablants, vous pouvez choisir au départ une période d'amortissement plus longue, puis recourir à l'une ou à l'autre (ou à une combinaison) des **deux solutions** suivantes pour réduire cette période.

1. *Effectuer un remboursement sur le capital de l'hypothèque, si pos-sible tous les ans.* Si vous êtes continuellement sur le party, vous avez raison, ce sera impossible. Par contre, j'en connais qui, avec un mini-mum de discipline (par exemple par un prélèvement bancaire préautorisé à chaque paie), y réussissent. Mais attention, il y a un montant maximal (stipulé dans le contrat hypothécaire). La plupart des institutions financières permettent à l'emprunteur d'effectuer annuellement un ou plusieurs remboursements, représentant un certain pourcentage (souvent 15 %) de l'hypothèque initiale, sur le solde en capital.

2. *Retrancher un certain nombre d'années à la période d'amortisse-ment* au moment du renouvellement du terme hypothécaire. Cela augmentera, bien entendu, le montant de vos remboursements. Par exemple, disons que vous aviez choisi au départ un amortisse-ment sur 20 ans et un terme de 5 ans. Cinq ans plus tard, il ne vous reste plus que 15 ans à votre amortissement. Comme vous avez fini de payer votre prêt étudiant, fait les quelques rénovations (payées comptant !) qui vous tenaient à cœur et reçu une augmentation de salaire, vous pourriez décider d'augmenter votre paiement hypothécaire en diminuant votre amortissement à 12 ans, si vous avez les reins assez solides.

UN EXEMPLE D'ÉCONOMIE SUR LES INTÉRÊTS SELON LA DURÉE DE L'AMORTISSEMENT

Prix d'achat de la maison : 100 000 $

Mise de fonds de 10 % : 10 000 $

Prêt hypothécaire : 90 000 $

Taux d'intérêt stable à 6,75 %

Aucune assurance (vie ou invalidité) n'est ajoutée au taux sur le prêt hypothécaire.

Je préconise les paiements hebdomadaires, qui réduisent plus rapidement le capital à rembourser, ce qui représente moins d'intérêts à payer. Dans l'exemple ci-dessous, le paiement se fait donc chaque semaine. Vous trouverez aussi, pour une meilleure comparaison, une colonne donnant un équivalent mensuel.

Amortissement	Paiement total mensuel	Capital et intérêts totaux payés	Intérêts totaux payés	Économie sur les intérêts, comparée à un amortissement de 25 ans
a) 15 ans	(181,71 $* x 52) / 12 = **787,41 $**	141 734 $	51 734 $	42 216 $
b) 20 ans	(155,91 $* x 52) / 12 = **675,61 $**	162 146 $	72 146 $	21 804 $
c) 25 ans	(141,50 $* x 52) / 12 = **613,17 $**	183 950 $	93 950 $	0 $

* Versement hebdomadaire

a) 15 ans x 52 versements par année = 780 versements de 181,71 $
   (780 x 181,71 $ = 141 734 $) – 90 000 $ de capitaux prêtés = 51 734 $ d'intérêts payés

b) 20 ans x 52 versements par année = 1 040 versements de 155,91 $
   (1 040 x 155,91 $ = 162 146 $) – 90 000 $ de capitaux prêtés = 72 146 $ d'intérêts payés

c) 25 ans x 52 versements par année = 1 300 versements de 141,50 $
   (1 300 x 141,50 $ = 183 950 $) – 90 000 $ de capitaux prêtés = 93 950 $ d'intérêts payés

Analyse 1 : Réduire la période d'amortissement de 25 à 15 ans permet d'économiser 42 216 $ en intérêts. C'est le prix d'un Grand Cherokee en
2004…

Analyse 2 : Avec un amortissement de 25 ans, vous payerez plus en intérêts
(93 950 $) que le capital emprunté (90 000 $). À l'achat de ma première
maison, j'ai fait l'erreur, car c'en est une, de prendre un amortissement de
25 ans. J'ai eu la surprise de ma vie, l'année suivante, lorsque j'ai reçu
mon relevé de compte. Je n'avais payé que les intérêts. Plus jamais !

La fréquence des remboursements hypothécaires

Beaucoup de nouveaux acheteurs conservent les habitudes qu'ils
avaient lorsqu'ils étaient locataires, et effectuent un versement
hypothécaire le premier de chaque mois. Cette approche est valable,
mais c'est loin d'être la meilleure. Il existe d'autres modes de remboursement (versements bimensuels, hebdomadaires, etc.) qui offrent
de nombreux avantages. Aimeriez-vous savoir comment vous pourriez
devenir propriétaire *unique* plutôt que d'avoir pour partenaire votre
institution financière ? Voici deux options.

1. *Divisez par quatre le montant* que vous auriez remboursé chaque
   mois et effectuez 48 remboursements par année, soit quatre par
   mois pendant 12 mois. Eh oui, votre hypothèque sera remboursée
   plus vite si vous payez quatre fois 150 $ par mois plutôt qu'un seul
   versement de 600 $. Il faut arrêter de penser en locataire !

2. *Divisez par quatre le montant* que vous auriez payé chaque mois, mais effectuez un versement hypothécaire *chaque semaine.* Vous effectuerez de cette façon 52 remboursements par année au lieu de 48, ce qui revient à réaliser un versement mensuel supplémentaire durant l'année.

Gardez à l'esprit que **plus vos versements sont rapprochés dans le temps, plus vous économisez sur les intérêts.** Vous remboursez en effet plus rapidement le capital de votre prêt. Je vous suggère aussi de choisir les paiements bimensuels ou hebdomadaires en fonction de vos paies. C'est un truc simple qui peut vous aider à planifier votre budget. À mort les intérêts !

Les assurances hypothécaires

La société québécoise est l'une des plus assurées en Amérique du Nord. Nous sommes obsédés par les assurances. Alors, évidemment, on ne s'étonnera donc pas de retrouver des clauses d'assurance dans les contrats hypothécaires.

Avant d'y souscrire, il est important de réfléchir à la nécessité ou à l'inutilité de ces assurances et, évidemment, à leur prix. Leur coût se présente en général insidieusement sous la forme d'une majoration du taux d'intérêt. Comme ça, vous aurez vite fait d'oublier que vous payez *aussi* pour des assurances ! Vous n'êtes heureusement pas obligé de prendre des assurances, mais comme elles figurent toujours dans le contrat d'hypothèque, il va falloir en parler. Voici les deux types d'assurances hypothécaires.

L'assurance vie hypothécaire

C'est l'assurance vie classique, car elle est payable à votre mort. On devrait plutôt parler d'*assurance mort* que vous allez payer toute votre vie ! Pour que ça passe mieux, un petit malin l'a baptisée « protection en cas de décès ». Cette assurance permet d'annuler le solde de l'hypothèque en cas de décès de l'un des conjoints. Personnellement, si ma conjointe mourait, le solde de mon hypothèque, remboursé ou pas, serait vraiment le dernier de mes soucis. Mais bon, peut-être que vous voyez les choses différemment. Dans ce cas, je vous suggère, bien sûr, de vérifier les différentes clauses du contrat avant de le signer, tout particulièrement celles touchant l'exclusion, qui peut entraîner l'invalidation, en vertu de certaines dispositions, de la protection de l'assurance. En d'autres termes, pour « bénéficier » de ces assurances, vous n'avez pas le choix de votre mort... certaines façons de mourir étant exclues !

Pour donner une idée des coûts de ce type d'assurance vie, voici un exemple basé sur la moyenne des tarifs de quelques institutions financières. Le pourcentage de majoration appliqué au taux d'intérêt a été traduit en dollars canadiens.

• Pour une personne âgée de 30 ans, il en coûte de 9 $ à 12 $ par mois pour un prêt de 100 000 $.

• Pour une personne âgée de 40 ans, l'augmentation est de 18 $ à 20 $ par mois, toujours pour un prêt de 100 000 $.

C'est vrai que le coût de la vie va toujours en augmentant...

L'assurance invalidité

Vous n'aimiez pas quand je parlais « d'assurance mort », alors parlons plutôt de « l'assurance fauteuil roulant ». Cette assurance invalidité couvre, en principe (il y a souvent des conditions), vos remboursements hypothécaires dans le cas où vous deviendriez invalide. Peut-être êtes-vous déjà assuré par votre employeur ? Dans ce cas, il est souvent inutile de contracter une nouvelle assurance invalidité. Encore une fois, si vous y tenez vraiment, je vous recommande d'être prudent et de vérifier l'étendue des restrictions inscrites au contrat.

Certaines polices ont en effet une définition restrictive de l'invalidité. Il est également bon de s'assurer que la police s'applique (et de vérifier dans quel pourcentage) si, les deux conjoints étant signataires, un seul devait souffrir d'une invalidité.

D'autres polices d'assurance invalidité contiennent des clauses limitant le montant mensuel assurable et la période durant laquelle il peut être touché par l'assuré. Dans ce cas, on vous dit finalement le temps que vous aurez pour guérir, sans savoir évidemment ce que vous aurez comme invalidité... si jamais vous devenez invalide !

Voici un exemple qui vous donnera une idée des coûts que peut représenter une assurance invalidité rattachée à une hypothèque. Le pourcentage de majoration sur le taux d'intérêt a également été converti en dollars.

• Pour une personne âgée de 30 ans, il en coûte de 6 $ à 9 $ par mois pour un prêt de 100 000 $.

• Pour une personne âgée de 40 ans, l'augmentation est de 16 à 18 $ par mois, toujours pour un prêt de 100 000 $.

Voilà, c'est fait. Vous êtes maintenant au courant que les institutions financières aiment se déguiser en compagnies d'assurances.

Les promotions hypothécaires

Les institutions financières rivalisent d'ingéniosité, pas toujours avec succès, afin d'attirer les clients chez elles. De nombreuses promotions ont ainsi vu le jour. La plupart de ces institutions offrent des milles Aéroplan, des milles de récompense Air Miles, des chèques-cadeaux, des réductions sur les taux d'intérêt, la prise en charge des frais de notaires et même des remises en argent.

Avant d'accepter ces «cadeaux», vérifiez les clauses qui les accompagnent. Il est possible que l'institution financière pose, en échange de ces promotions, un certain nombre de conditions, plus ou moins restrictives, que vous devrez évidemment respecter. Celles-ci peuvent concerner la durée du terme, qui sera plus longue que ce que vous auriez désiré, ou des pénalités supplémentaires en cas de dérogation. Par exemple, pour recevoir la remise en argent, vous devrez signer un contrat pour un terme de cinq ans, fermé et à taux fixe. Prenez le temps de vous informer et de bien lire le contrat hypothécaire.

La table de calcul des versements hypothécaires

Le tableau de la page suivante fournit le montant du remboursement hypothécaire mensuel par tranche de 1 000 $, en fonction de la durée de l'amortissement et du taux d'intérêt négocié. Multipliez ce chiffre par le nombre de milliers de dollars empruntés pour connaître le paiement hypothécaire mensuel. Allez-y, amusez-vous. Vous allez peut-être découvrir que pour le montant de votre loyer vous pourriez avoir toute une hypothèque et la maison qui va avec!

CALCUL DES REMBOURSEMENTS HYPOTHÉCAIRES MENSUELS
PAR TRANCHES DE 1 000 $

Taux d'intérêt annuel (en %)	Pour un amortissement de 10 ans	Pour un amortissement de 15 ans	Pour un amortissement de 20 ans	Pour un amortissement de 25 ans
4,00	10,11	7,39	6,05	5,27
4,25	10,23	7,51	6,18	5,40
4,50	10,35	7,63	6,31	5,54
4,75	10,47	**7,76**	6,44	5,68
5,00	10,59	7,89	6,58	5,82
5,25	10,71	8,01	6,71	5,96
5,50	10,83	8,14	6,85	6,11
5,75	10,95	8,27	6,99	6,26
6,00	11,07	8,40	7,13	6,40
6,25	11,19	8,54	7,27	6,55
6,50	11,32	8,67	7,41	**6,70**
6,75	11,44	8,80	7,55	6,86
7,00	11,56	8,94	7,70	7,01
7,25	11,69	9,07	7,84	7,16
7,50	11,82	9,21	7,99	7,32
7,75	11,94	9,35	8,14	7,48
8,00	12,07	9,49	8,29	7,64
9,00	12,58	10,05	8,90	8,28
10,00	13,11	10,63	9,52	8,95

Imaginons deux scénarios bien différents et calculons le paiement hypothécaire mensuel.

■ **Exemple 1**

Amortissement de 15 ans

Taux d'intérêt négocié à 4,75 %

Prix de la propriété : 85 000 $

Mise de fonds : 22 000 $

Prêt hypothécaire :
63 000 $ (85 000 $ – 22 000 $), soit 63 tranches de 1 000 $

Paiement hypothécaire mensuel :
7,76 (chiffre tiré du tableau) x 63 = **488,88 $**

■ **Exemple 2**

Amortissement de 25 ans

Taux d'intérêt négocié à 6,50 %

Prix de la propriété : 120 000 $

Mise de fonds : 6 000 $

Prêt hypothécaire :
114 000 $ (120 000 $ – 6 000 $), soit 114 tranches de 1 000 $

Paiement hypothécaire mensuel :
6,70 (chiffre tiré du tableau) x 114 = **763,80 $**

Vous pouvez également trouver des calculateurs électroniques sur Internet. Plusieurs adresses de sites fournies dans les références à la fin de cet ouvrage en contiennent, notamment ceux des principales institutions financières.

La préparation de la demande d'emprunt

Une demande de crédit ne se fait pas n'importe comment, *a fortiori* s'il s'agit d'un prêt hypothécaire. Un dossier complet et bien préparé est essentiel.

Vous avez le choix de faire une demande au tout début du processus, avant même d'avoir trouvé la propriété convoitée. Il s'agit alors d'une hypothèque préautorisée. C'est celle que je préconise, car elle facilite la suite des choses. Dans ce cas, vous devez fournir tous les documents qui prouvent votre solvabilité (talons des chèques de paie, copie de vos déclarations de revenus des trois dernières années, bilan complet, etc.). Évidemment, comme vous n'avez pas encore trouvé la maison que vous désirez, vous n'avez pas à présenter pour l'instant l'offre d'achat signée, le certificat de localisation et *tutti quanti*; ces documents seront toutefois nécessaires pour remplir votre demande de financement hypothécaire lorsque vous aurez l'adresse exacte de la perle rare.

Pour faire votre demande, vous pouvez aussi attendre d'avoir trouvé la propriété qui vous convient et de détenir votre offre d'achat acceptée et signée du vendeur.

Sauf dans le cas d'une demande de prêt préautorisé, une demande de prêt comprend, au moins, les documents suivants :

• *une copie de l'offre d'achat signée,* ou la convention d'achat-vente dans le cas d'une maison neuve ;

• *un certificat de localisation* préparé par un arpenteur-géomètre. C'est un plan à l'échelle du terrain sur lequel on retrouve la disposition et les dimensions de la maison et de tout ce qui s'y trouve (garage, entrée, cabanon). C'est également le certificat de localisation qui indique s'il y a un droit de passage sur votre terrain accordé à quelqu'un autre. Par exemple, j'ai déjà habité une maison de campagne derrière laquelle se trouvait une grange appartenant à un voisin. Ce dernier avait un droit de passage sur mon terrain pour se rendre à sa grange, ce qui ne me posait aucun problème. Par contre, j'ai vu des cas où les terrains étaient mal divisés, ce qui obligeait le propriétaire de la maison d'en avant à subir les allées et venues des gens qui possédaient un petit chalet vétuste dans le fond du terrain. Une gang sur le party qui passe sous la fenêtre de votre chambre à coucher plusieurs fois par nuit peut être un peu plus dérangeant ;

- *une copie de vos déclarations de revenus des trois dernières années* (et celle de votre conjoint, s'il y a lieu) ;

- *une grille de calcul de vos revenus et dépenses* (et celle de votre conjoint, s'il y a lieu) ;

- *votre bilan personnel* (et celui de votre conjoint, s'il y a lieu) ;

- *les copies des relevés de comptes* d'électricité, de chauffage (factures de mazout, de bois ou de gaz) et d'assurance de la maison que vous désirez acheter. Vous pouvez demander ces documents à l'agent d'immeubles ou au propriétaire vendeur ; pour l'électricité, vous pouvez demander directement à Hydro-Québec ;

- *la liste des actifs qui seront utilisés pour constituer la mise de fonds,* et des preuves de leur existence. Par exemple, l'argent de la vente de votre motomarine, vos relevés de REER ou de placements, ou simplement une photocopie de votre relevé bancaire — en espérant qu'il indique une somme suffisante ;

- *une copie du rapport d'inspection.* L'inspection est basée sur le même principe que la vérification mécanique que vous faites effectuer par votre mécanicien préalablement à l'achat d'une voiture. C'est vital avant de signer une offre d'achat sans condition. Je conseille de négocier et de signer une offre d'achat, après la ou les visites et les négociations, en y incluant une **clause conditionnelle** comme celle-ci : «Cette offre d'achat est conditionnelle à la vérification et à l'inspection de la propriété faisant l'objet de cette offre d'achat par M. Regarde Partout, inspecteur en bâtiment, et à son entière satisfaction.» Afin d'éviter des frais inutiles, je vous suggère donc de procéder à une inspection professionnelle une fois que le processus recherche-visite-négociation arrive à son terme à votre satisfaction ;

- *une copie du relevé d'évaluation foncière.* Dans ce document émis par la municipalité, on retrouve l'information de base comme les dimensions du terrain et son évaluation, l'évaluation de la maison, le total des évaluations du terrain et de la maison, les services desservis par la municipalité et les montants des taxes municipales à payer annuellement. Ce relevé est une référence très importante puisque, en général, lorsqu'il est question de vous prêter 75 % de la «valeur» de la propriété que vous voulez acheter, il s'agit en fait des trois quarts du plus petit montant du prix payé ou du montant indiqué au total du relevé d'évaluation foncière.

  Par exemple, j'ai acheté un immeuble de six logements. L'évaluation municipale, sur le relevé d'évaluation foncière, indiquait un total (terrain et immeuble) de 120 000 $. J'ai négocié un prix de 90 000 $. L'institution financière ne voulait donc me prêter que 67 500 $, soit 75 % de 90 000 $. Suivant cette logique, si je n'avais pas négocié et que j'avais payé le prix de l'évaluation municipale, soit 120 000 $, elle aurait possiblement accepté de me prêter 90 000 $, soit 75 % de 120 000 $.

- *le calcul des ratios,* que vous aurez effectué pour vous assurer que vous respectez la «règle du 30-40» (voir p. 61). Comme je l'ai déjà mentionné, un maximum de 30 % de vos revenus brut totaux peut être alloué aux dépenses de logement ; quant à l'ensemble de toutes vos charges financières (prêt personnel, prêt auto, paiement mensuel du divan et prêt hypothécaire), elles ne doivent pas dépasser 40 % de vos revenus. Ça vous dit quelque chose ?

- *tout document pertinent dont pourrait disposer le propriétaire vendeur.* N'hésitez pas à ajouter à votre dossier de demande de prêt une copie des factures de matériaux qui ont servi à l'entretien et à la rénovation de la maison, que possèdent souvent les propriétaires vendeurs. Peut-être pourrez-vous mettre la main sur une confirmation d'admissibilité de cette propriété à un programme de subvention de rénovation, ou un certificat de conformité des installations sanitaires émis par le ministère de l'Environnement si vous achetez une maison de campagne, ou une copie d'un article de journal traitant du prix d'architecture qui a été attribué à l'immeuble où vous désirez acheter un condo. Bref, mettez à profit tout document qui peut influencer favorablement l'agent des prêts hypothécaires.

Nous venons de voir ensemble le chapitre faisant état de toutes les craintes qui habitent les acheteurs, soit le financement hypothécaire, la mise de fonds et surtout la fameuse capacité de remboursement. Bref, c'est l'aspect financier du rêve qui angoisse le plus l'acheteur débutant.

Lorsque vient le temps de choisir la formule d'hypothèque qui vous convient, rappelez-vous que la sécurité a un prix, de même que les promotions «bonbons»! Par ailleurs, plus votre mise de fonds est petite et plus la durée totale de votre amortissement est longue, plus vous paierez d'intérêts. Parfois, les gens ne se rendent pas compte que tous ces intérêts qu'ils paient s'ajoutent finalement au prix payé initialement pour la maison. Ça finit par faire cher.

Pourquoi négocier comme un fou pour arracher quelques milliers de dollars au vendeur si c'est pour ensuite, en raison de mauvais choix, en payer plusieurs dizaines de milliers en intérêts sur votre hypothèque? Êtes-vous du genre à faire 20 kilomètres de plus pour acheter une boîte de sauce tomate qui coûte 10 ¢ de moins qu'à côté de chez vous? C'est le même principe: dépenser beaucoup pour économiser peu. Réfléchissez et prenez des décisions qui sont dans votre intérêt!

Chapitre 7

L'entretien et l'amélioration de votre résidence

L'usure du temps, les changements de saison et l'usage humain entraînent une détérioration des immeubles. C'est ce que l'on appelle l'usure normale... parce que c'est normal qu'il y ait des travaux à faire. Fini les appels au proprio pour demander une réparation ; maintenant, c'est *votre* problème, tout comme l'entretien de la pelouse, le déneigement de l'entrée et du toit, la vidange du chauffe-eau chaque année et le reste.

Par ailleurs, au moment de l'acquisition, vous pensiez n'effectuer que des travaux de peinture. Mais depuis, vous avez développé une véritable obsession pour les magazines de déco et vous rêvez maintenant de tout arracher pour créer cet intérieur splendide que tous vos invités admireront avec envie. Une question subsiste toutefois : quels travaux sont recommandés et lesquels sont facultatifs ?

Distinguer l'entretien de l'amélioration

Il est important de faire la distinction entre entretien et amélioration car, au-delà de la sémantique, ces deux mots ont un impact différent sur la valeur de votre propriété et le taux de récupération de votre investissement en cas de revente.

Ainsi, **l'entretien** contribue uniquement au maintien de la valeur de la maison. Repeindre l'entrée, remplacer la marche de l'escalier qui commence à pourrir, remettre du mastic autour des fenêtres ; tout cela est simplement un combat contre l'usure du temps. L'exercice n'est pas palpitant, mais avouons qu'il est plus agréable d'habiter une maison bien entretenue. De plus, si un jour vous décidez de déménager, vous verrez qu'une maison bien entretenue se vend beaucoup plus rapidement… et à meilleur prix.

L'amélioration concerne les travaux de rénovation (un agrandissement, par exemple) qui, une fois terminés, apportent un avantage supplémentaire à la valeur (ou plus-value) de la maison.

Évaluer l'impact des travaux sur la valeur de la résidence

Dans la vie, tout n'est heureusement pas qu'une question d'argent et de coûts. Tant mieux ! Par contre, pour faire des choix éclairés, il vaut mieux connaître l'impact de ses décisions. Voyons les divers aspects à considérer.

Le coût d'entretien d'une maison

Le coût des matériaux et du temps investi en travaux d'entretien est récupéré indirectement par le maintien de la valeur de la maison. Sans entretien, votre maison aurait perdu une fraction de sa valeur chaque année. C'est donc cette portion que vous «récupérerez» à la revente si, grâce à vos soins, votre maison a conservé sa valeur par rapport au prix d'achat.

Si vous repeignez les murs, vous ne pourrez pas revendre votre condo et obtenir automatiquement le prix que vous aviez payé plus le montant de la facture de peinture. Ça, c'est votre mentalité de locataire habitué à se faire rembourser sa peinture. Ce temps-là est révolu. Vous êtes désormais propriétaire. Idem pour le recouvrement du toit ou le changement des fenêtres : ces travaux peuvent aussi être considérés comme des travaux d'entretien. Surpris ? Et pourtant, c'est bien vrai.

Le raisonnement est le suivant : si la durée de vie des portes et fenêtres d'une maison est, par exemple, d'environ 20 ans, alors la logique veut que cette propriété ait perdu, chaque année, le vingtième de la valeur de remplacement de ses ouvertures. Au-delà de la durée de vie de ces matériaux devenus usés et donc inefficaces avec le temps, leur remplacement peut être vu comme une remise à jour. C'est un peu comme si la peinture coûtait 500 $ le gallon, mais qu'elle durait 20 ans. Au lieu de cela, la peinture coûte 50 $ le gallon, mais est à refaire tous les deux ans, trois si la maison ne compte aucun fumeur.

Rénover, oui, mais à quel prix ?

L'ajout ou l'agrandissement d'un patio augmentera la valeur de votre maison. Il en va de même avec la construction d'un garage ou d'un cabanon. Ces travaux d'amélioration vous permettront de récupérer un **pourcentage** de l'argent investi, puisque vous avez ainsi contribué à l'augmentation de la valeur de votre propriété. C'est l'attrait que représentent pour l'acheteur éventuel les améliorations apportées à la maison qui déterminera, principalement, l'augmentation du prix de vente et, de ce fait, le pourcentage récupéré de votre investissement. Retenez qu'entretien rime avec maintien, et amélioration avec augmentation.

3 aspects à considérer avant d'entreprendre des travaux

Lorsqu'il est question de travaux d'entretien, et plus particulièrement de travaux d'amélioration, on doit se poser un certain nombre de questions en tenant compte d'un ensemble de considérations reposant sur **3 aspects** principaux, soit :

1. *Les choix et préférences personnelles.* Si vous aimez mieux vous faire installer des puits de lumière dans votre chambre à coucher plutôt que de changer le comptoir de la cuisine, c'est parfait. En matière de préférences personnelles, tous les goûts sont dans la nature… et dans les compromis avec votre douce moitié si vous partagez votre maison. Pour clarifier les choses, demandez-vous simplement à quels travaux vous choisiriez de vous consacrer si vous répondiez de façon spontanée. Cela étant dit, deux autres aspects doivent encore être pris en compte…

2. *L'impact sur la qualité de vie.* Des puits de lumière vous permettraient d'admirer les étoiles dans vos périodes d'insomnie et cette idée vous rend heureux. Formidable ! Mais peut-être auriez-vous davantage de plaisir avec un foyer au gaz naturel, qui vous permettrait de passer de belles soirées au coin du feu pendant la saison froide… ou peut-être préféreriez-vous un solarium quatre saisons pour en profiter toute l'année ? En somme, répondez aux questions suivantes : qu'est-ce qui agrémenterait *le plus* votre quotidien ? Quels travaux vous apporteraient un plus grand confort ? Quelles améliorations apportées à votre résidence pourraient vous donner l'envie d'y vivre encore 10 ans ?

3. *Les répercussions financières*, c'est-à-dire le coût des travaux par rapport à la récupération de l'investissement. Vous ne vendrez peut-être pas votre maison plus cher (la plupart des gens préfèrent les chambres sombres pour dormir le matin, alors les puits de lumière au-dessus du lit…), mais vous en tireriez tellement de plaisir. Alors quoi ? Tant pis pour les regrets ! Par contre, l'investisseur qui sommeille en vous aimerait sans doute en savoir davantage.

Pour avoir une idée plus « objective » de ce que vous pourrez possiblement récupérer de votre investissement lors de la revente de votre propriété, voici des données provenant d'une étude réalisée en 1999 par l'Institut canadien des évaluateurs et citée dans l'une des publications de la Banque Royale sous le titre « Rénover sa maison ». Cette étude portait sur la rénovation et le prix des maisons. Les pourcentages représentent une moyenne de la récupération de l'investissement au moment de la revente.

 ## COMBIEN POUVEZ-VOUS RÉCUPÉRER DU MONTANT INVESTI ?

Peinture intérieure et décoration	73 %
Cuisine	72 %
Salle de bains	68 %
Peinture extérieure	65 %
Nouveau revêtement de sol	62 %
Changement des ouvertures	57 %
Ajout d'un séjour au rez-de-chaussée	51 %
Ajout d'une cheminée	50 %
Aménagement du sous-sol	49 %
Changement du système de chauffage	48 %

Avez-vous remarqué que la peinture est au haut de la liste ? C'est vrai lorsqu'elle est faite avec goût dans le but de décorer et non dans le simple but d'entretenir. La frontière entre entretien et amélioration est parfois aussi mince qu'une feuille… de papier peint.

Deux situations, deux solutions

Après mûre réflexion, vous prenez la décision d'investir 12 000 $ pour aménager votre sous-sol. Il s'agit de travaux d'amélioration puisque vous augmentez la superficie habitable de votre maison.

Votre fils aîné est heureux d'obtenir une nouvelle chambre pour lui seul, ce qui fait aussi l'affaire du cadet de la famille, ravi de devenir l'unique occupant de la chambre qu'il partageait jusque-là avec son frère. De plus, toute la famille bénéficie de la salle de cinéma maison que vous projetiez d'aménager depuis quelques années. Et ce n'est pas tout : comme vous êtes travailleur autonome et que vous aviez l'habitude de louer un local pour exercer vos activités, votre nouveau bureau, qui occupe l'espace restant au sous-sol, vous permet d'économiser 4 800 $ en frais de location (400 $ par mois x 12 mois) ainsi que 2 450 $ en frais de déplacement par année (28 km/jour x 5 jours x 50 semaines), ce qui représente 7 000 km par année à 0,35 $ le km.

Vous réalisez donc une économie annuelle de 7 250 $ (4 800 $ + 2 450 $) tout en augmentant la qualité de vie de l'ensemble des membres de votre famille. À ce rythme, vous aurez récupéré complètement votre investissement en seulement 20 mois (12 000 $ / (7 250 $ / 12 mois)). Au-delà de cette courte période, si vous conservez votre résidence, vous bénéficierez alors d'une économie nette puisque votre investissement sera complètement récupéré. De plus, au moment de la revente de votre maison, vous serez très certainement en mesure de récupérer, en raison d'un prix de vente plus élevé, un certain pourcentage de votre capital investi dans ces travaux d'amélioration. Vous êtes gagnant sur toute la ligne !

Par contre, si nous reprenons le même exemple, mais en supposant cette fois que votre plus vieux a quitté le nid familial et que vos activités professionnelles ne nécessitent pas un bureau à la maison. Dans ce cas, aménager votre sous-sol serait un très mauvais investissement puisqu'il ne servirait qu'à recevoir votre belle-famille au jour de l'An et à entreposer, le reste de l'année, toutes les bricoles que vous n'avez pas réussi à empiler dans le garage. Comme les travaux d'amélioration au sous-sol ne sont récupérables qu'à un pourcentage estimé de 49 %, il vous en coûterait donc 6 000 $ (12 000 $ x 49 %) pour disposer de plus d'espace. Dans cet exemple, je vous suggérerais plutôt de louer une salle pour votre party de famille et un petit entrepôt pour les trucs dont vous ne voulez pas vous débarrasser.

Les subventions pour rénover ou construire une maison

Plusieurs programmes d'aide financière sont offerts par les différents paliers de gouvernement. Généralement, ces programmes sont prévus pour les travaux d'amélioration des résidences. La majorité des contributions financières gouvernementales sont versées afin d'augmenter l'efficacité énergétique des maisons, de restaurer les vieux quartiers ou d'attirer de nouveaux résidents sur leur territoire. Par exemple, la municipalité de Lyster, dans la région des Bois-Francs, promet de vous donner le terrain en échange de la construction d'une résidence neuve. À cela s'ajoute un crédit de taxe de 3 000 $ à 7 000 $. Toute une promotion !

Malheureusement, il est souvent assez difficile de profiter de ces programmes. D'abord parce qu'ils sont méconnus. Ensuite parce que, comme chaque ville est libre d'offrir ou non une certaine aide financière et qu'elle peut procéder comme bon lui semble, il en résulte une grande diversité d'une ville à l'autre quant aux types de programmes offerts, aux critères de sélection ainsi qu'à l'importance des budgets alloués. À cela s'ajoutent les différents programmes provinciaux et fédéraux. En somme, l'univers des aides financières à la rénovation et à la construction est en perpétuel mouvement... Cela vaut quand même la peine de vérifier. Bonne recherche !

Effectuer les travaux vous-même ou recourir à un entrepreneur en construction ?

Voilà une autre question comportant plusieurs facteurs dont vous devez tenir compte afin de prendre une décision éclairée. Tout d'abord, même si effectuer les travaux soi-même peut représenter une économie, il faut tout de même répondre préalablement à un certain nombre de questions, dont voici les plus importantes :

1. Avez-vous les aptitudes requises ?

Il est indispensable d'évaluer ses compétences au regard des travaux à effectuer pour s'assurer que le travail sera bien fait, mais aussi pour éviter de se blesser. De plus, en tentant d'économiser, l'apprenti castor bricoleur peut être amené à faire des dépenses encore plus importantes afin de rectifier ses erreurs. La première fois que j'ai tiré des joints de plâtre, j'ai décidé, pressé par le temps, de peindre tout de suite en me disant que je pourrais procéder à l'étape du sablage quelques mois plus tard. J'ai appris, à mes dépens, qu'une fois peint le plâtre ne peut plus être sablé... J'ai dû tout défaire et recommencer.

2. Avez-vous le temps d'effectuer les travaux projetés ?

Peut-être serait-il plus avantageux financièrement pour vous de continuer de vaquer à vos occupations professionnelles et de payer un entrepreneur pour effectuer les travaux. L'un de mes bons amis, Claude Morissette, dentiste de profession, aime bien effectuer certains travaux manuels lui-même. Il a néanmoins choisi d'engager un entrepreneur pour rénover et agrandir sa maison. Sa décision était motivée par deux raisons. Un : étant alors le seul dentiste de sa clinique, il ne pouvait s'absenter. Deux : ses occupations professionnelles exigeant une grande dextérité, il ne pouvait prendre le risque de se blesser, en particulier aux mains. De toute façon, Claude a une vie familiale bien remplie puisqu'il est le père de quatre enfants. Il ne disposait donc déjà que de très peu de temps.

3. Avez-vous envie d'effectuer ces travaux ?

Posez-vous sérieusement la question, car des travaux entamés avec peu de motivation risquent plutôt de s'éterniser... ou même de ne jamais être terminés. Il faut un minimum d'intérêt pour se lancer dans un tel projet.

Cependant, si vous avez répondu oui aux deux dernières questions, mais que vous n'avez jamais eu la possibilité de tenir un marteau, vous avez peut-être devant vous la chance d'apprendre. Vous pourriez, dans ce cas, engager quelqu'un pour vous aider et ainsi développer de nouvelles aptitudes et connaissances tout en rénovant votre propriété. Beau programme pour vos prochaines vacances, non ? Et si vous avez déjà l'âme *et* les aptitudes d'un adroit bricoleur, alors bravo !

Vous avez besoin d'un entrepreneur, mais lequel choisir ?

Vous avez finalement décidé de confier une partie ou la totalité des travaux de rénovation à un entrepreneur. Comme le coût de ces travaux représente un investissement important et qu'il s'agit de votre maison, il est essentiel d'engager une entreprise professionnelle, fiable et digne de confiance. Comment faire le bon choix parmi le très grand nombre d'entrepreneurs en construction ou en rénovation et éviter d'embaucher un charlatan ? Voici quelques suggestions pour vous aider à répondre à cette question.

1. *N'engagez personne qui vous propose de travailler au noir.* En plus d'encourager une pratique illégale, vous vous privez de tout recours en cas de problème. Faire affaire avec quelqu'un qui ne vous produit

aucune facture et n'accepte que l'argent sonnant à titre de rétribution revient à traiter avec un fantôme. Ce n'est vraiment pas une bonne façon d'économiser.

2. *Si possible, engagez un entrepreneur qui vous a été recommandé par une personne de confiance.* C'est le moment de demander à votre beau-frère et à votre voisin qui ils ont engagé.

3. *Optez pour un entrepreneur qui a un permis en règle délivré par la Régie du bâtiment du Québec (RBQ).* Je vous suggère par ailleurs de prendre le numéro du permis en note et de vérifier sa validité.

4. *Choisissez préférablement un entrepreneur qui est membre d'une association reconnue* telle que l'Association provinciale des constructeurs d'habitation du Québec (APCHQ), l'Association de la construction du Québec (ACQ), ou agréé par la division habitation de l'Association canadienne des automobilistes (CAA). N'oubliez pas de vérifier la véracité de l'information. Il est facile de se prétendre membre d'associations.

5. *Exigez de l'entrepreneur qu'il vous fournisse des références récentes auprès d'anciens clients.* Communiquez avec ces gens pour vérifier leur degré de satisfaction.

6. *Demandez trois soumissions à autant d'entrepreneurs et comparez les travaux proposés, le choix des matériaux, les délais d'exécution et les prix.* Méfiez-vous de ceux qui pourraient essayer de vous tenter avec une offre dont le total des coûts serait nettement inférieur aux autres, voire irréaliste. En effet, certains entrepreneurs peu scrupuleux agissent ainsi dans le but de vous facturer des « suppléments imprévus » une fois le contrat signé et les travaux entrepris.

7. *Exigez une description détaillée, précise et par écrit des travaux qui seront effectués, des matériaux qui seront utilisés ainsi que de l'échéance de réalisation.* Prenez en note l'évolution du chantier

avec date et description des travaux et des matériaux utilisés. Je vous recommande également de prendre des photos pour compléter votre dossier.

8. *Pour des travaux plus importants, vous pouvez engager un architecte, qui s'occupera de réaliser les plans et devis nécessaires.* Certains acceptent également de superviser les travaux. Ici aussi, demandez des références. Vous pouvez appeler à l'Ordre des architectes du Québec pour vous assurer des compétences de celui que vous désirez engager.

Malgré ces précautions d'usage, il est possible de vivre un problème ou d'avoir un différend avec l'entrepreneur dont vous aurez retenu les services. C'est malheureusement assez fréquent. Dans le cas d'une telle éventualité, vous pouvez alors, si votre entrepreneur en est membre, porter plainte à la Régie du bâtiment du Québec (RBQ). Dans les autres cas, vous pouvez vous adresser à l'Office de la protection du consommateur (OPC), à l'Association des consommateurs pour la qualité dans la construction (ACQC) ou à une autre association, dont certaines offrent des garanties et auxquelles appartient l'entrepreneur dont vous avez à vous plaindre.

Par ailleurs, que vous fassiez les travaux vous-même ou que vous engagiez un entrepreneur, n'oubliez pas que vous devrez d'abord obtenir un permis à cet effet auprès de votre municipalité. Cela est nécessaire dès qu'il est question de travaux importants : agrandissement, ajout, rénovation majeure, construction ou réparation importantes. Bon chantier !

Chapitre 8

Des **outils légaux**

Dans le processus d'achat, êtes-vous protégé contre la discrimination ? Que doit contenir un contrat bien rédigé ? Comment vous libérer de votre bail maintenant que vous êtes propriétaire ? Quelles sont les conditions pour profiter de la Cour des petites créances en cas de mésentente après la transaction ? Qu'est-ce qu'une hypothèque légale ? Dans ce chapitre, vous trouverez réponse à ces questions portant sur divers aspects légaux liés à l'achat d'une maison. À titre préventif et pour obtenir un avis en lien avec les éléments précis et particuliers de votre cas, je vous recommande de consulter un notaire ou un avocat spécialisé.

Les chartes des droits et libertés de la personne

Votre droit d'accession à la propriété est garanti, dans notre société dite moderne, développée, libre et démocratique, par les chartes canadienne et québécoise des droits et libertés de la personne. Plus précisément, l'article 12 de la Charte québécoise vous garantit que personne, heureusement, ne peut refuser de vous vendre une maison pour des raisons discriminatoires.

Pour avoir acheté ma première maison pendant que j'étais étudiant au cégep, je peux vous dire que certaines personnes ont essayé de me mettre des bâtons dans les roues parce qu'elles me trouvaient un peu trop jeune. Prenez exemple sur moi et défendez vos droits !

Les éléments essentiels d'un contrat

La validité d'un contrat est établie par la conclusion d'une entente entre les parties. Ce moment survient, au fond, juste après la signature d'un contrat, par exemple une offre d'achat, quand vous serrez la main du vendeur en vous disant : « Ça y est ! »

Un contrat, peu importe qu'il s'agisse d'un bail, d'un contrat d'hypothèque, d'une promesse d'achat ou autre, devrait normalement, s'il est bien rédigé, contenir les informations suivantes :

- La date de la conclusion du contrat

- L'identification des parties (nom et prénom, adresse, occupation, date de naissance)

- La description de l'objet du contrat. C'est en fait la réponse à la question : de quoi s'agit-il ?

- La date d'expiration du contrat. Toute offre d'achat, par exemple, doit comporter une date au-delà de laquelle elle n'est plus valide. Sinon un vendeur pourrait vous rappeler l'année suivante !

- Date et lieu de la signature. Par exemple : « signé à Baie-Comeau le 24 juin 2004. »

- Signatures, incluant celles des conjoints et témoins si elles s'avèrent nécessaires

Comment se libérer de son bail?

Au moment d'entreprendre leurs démarches, la majorité des nouveaux acheteurs sont liés par un bail. Première préoccupation : le résilier. Deuxième préoccupation : faire coïncider la prise de possession de la maison avec la fin du bail. Pour faire face à ces problèmes, je vous recommande de recourir à l'une ou l'autre des options mentionnées ci-dessous, à moins que vous ayez les moyens (et l'envie) de payer à la fois votre ancien loyer et votre nouvelle hypothèque.

Il est important de garder à l'esprit que le bail est un contrat. En conséquence, vous ne pouvez pas «casser» votre bail n'importe quand et partir. C'est un peu plus compliqué que ça. Votre proprio et vous avez des obligations l'un envers l'autre.

Les rapports entre propriétaires et locataires sont régis par les articles 1851 à 2000 du Code civil du Québec, lesquels se retrouvent en synthèse à l'intérieur du formulaire de bail imprimé. Les numéros entre parenthèses dans ce chapitre ou sur ces contrats font donc référence à ces articles. Rappelons aussi que les termes «locateur» et «propriétaire» sont synonymes.

La non-reconduction du bail

Lorsque vous décidez d'acheter une maison, vous prenez aussi la décision, si vous êtes locataire, de ne pas renouveler votre bail. Vous devez donc faire en sorte de ne pas vous retrouver avec deux paiements : un loyer et une hypothèque. Plusieurs situations peuvent survenir lorsque vient le moment de mettre un terme à votre bail. La durée de ce dernier est le facteur principal à considérer puisqu'il détermine différentes dispositions de la loi. Pour des raisons pratiques, je parle uniquement ici du bail d'une durée de 12 mois, qui est le plus fréquent au Québec.

Le propriétaire doit vous faire parvenir un avis de renouvellement du bail de trois à six mois avant l'échéance du bail, soit entre le 1er janvier et le 31 mars pour les baux se terminant le 30 juin. Par la suite, vous disposez d'un délai de 30 jours pour signifier votre intention de quitter le logement, à défaut de quoi vous êtes réputé avoir accepté le contenu de l'avis (art. 1945 et 1946). Le bail est alors renouvelé. Pour éviter cette situation, vous devez envoyer une lettre au propriétaire pour lui exprimer clairement que vous ne renouvellerez pas votre bail.

La sous-location ou la cession de bail

Si vous désirez quitter votre appartement avant la fin du bail, vous pouvez décider d'opter pour la sous-location ou pour la cession de bail. Mais attention : l'une et l'autre ne vous offrent pas les mêmes avantages.

• La sous-location

Vous pouvez sous-louer votre appartement, mais tant qu'un nouveau bail n'est pas signé entre le nouveau locataire et le propriétaire, vous demeurez responsable de l'état des lieux ainsi que du paiement du loyer. Cette solution n'est avantageuse que si vous devez vous absenter pour quelque temps tout en ayant l'intention de reprendre votre logement à votre retour. Dans le cas où vous devenez propriétaire en cours de bail, la sous-location est une **solution risquée.** Il est alors de loin préférable de recourir à la cession de bail.

• La cession de bail

Grâce à la cession de bail, le locataire cède non seulement les privilèges qu'il détenait sur son logement, mais aussi et surtout ses obligations envers le propriétaire (art. 1873). La cession de bail vous libère donc complètement. Ciao ! Voilà pourquoi il s'agit de la solution idéale. C'est ce que je vous recommande de faire si vous prenez possession de votre maison alors que votre bail n'est pas terminé. La crise du logement dans certaines régions a même amené des locataires à céder leur bail contre rétribution !

Dans le cas d'une sous-location ou d'une cession de bail, en tant que locataire vous êtes tenu d'aviser le propriétaire de l'immeuble de vos intentions. Encore une fois, il est préférable de procéder par écrit et de conserver la preuve de la réception de votre lettre par le propriétaire. Vous pouvez acheminer l'avis par la poste, idéalement par courrier recommandé, ou le présenter en personne tout en vous prévalant d'une copie ou d'un accusé de réception signé. Dans un cas comme dans l'autre, vous devez fournir, dans votre avis de sous-location ou de cession de bail, les coordonnées du nouveau locataire.

Suivant la réception de votre avis, le propriétaire dispose d'une période de 15 jours pour vous signifier son refus. Cependant, le propriétaire d'un immeuble ne peut s'opposer à la sous-location ou à la cession de bail qu'à la condition d'avoir un motif sérieux et valable, tel que l'insolvabilité ou de mauvaises habitudes de paiement de loyer (art. 31, 23-03-2002). En raison de la Charte des droits et libertés, je n'ai jamais vu un refus cautionné par la Régie du logement pour autre chose qu'un passé de mauvais payeur. Alors, faites un effort pour trouver quelqu'un de solvable ! Passé ce délai de 15 jours, si votre lettre reste sans réponse, le propriétaire de l'immeuble est réputé avoir accepté le contenu de votre avis de sous-location ou de cession de bail (art. 1870 et 1871).

Le droit de visite du logement

Vous avez acheté une maison et vous n'avez qu'une envie : y emménager le plus vite possible. En attendant, le propriétaire de l'immeuble, lui, veut vous trouver un remplaçant dans les meilleurs délais. C'est donc le temps des visites. Voilà un point qui, chaque année, provoque bon nombre de discussions et de questionnements. Afin de clarifier le droit de visite, disons d'abord que le propriétaire de l'immeuble que vous habitez peut, dès qu'il a été avisé de votre intention de ne pas renouveler le bail, annoncer votre logement comme étant à louer et le faire visiter entre 9 h et 21 h (art. 1930 et 1932).

Le propriétaire a également le droit de vérifier l'état des lieux ainsi que celui d'effectuer des réparations mineures. Pour ce faire, il doit vous donner un avis, qui peut être verbal, au moins 24 heures à l'avance (art. 1857, 1898 et 1931). Il est bon de noter qu'afin de permettre l'accès au logement, ni vous, le locataire, ni le propriétaire ne pouvez modifier ou changer les serrures (art. 1934). Finalement, disons que la bonne entente et le respect mutuel constituent, ici encore, la meilleure façon de procéder.

La Cour des petites créances

Il s'agit d'un système judiciaire économique et simplifié où les gens se représentent eux-mêmes, sans l'aide d'un avocat. Depuis juin 2002, la limite maximale des causes admissibles devant la Cour des petites créances a été majorée à 7 000 $.

À la suite d'un litige, si vous désirez obtenir réparation par le biais de la Cour des petites créances, vous devrez envoyer, de préférence par courrier recommandé ou par huissier, une lettre officielle, aussi appelée **mise en demeure,** à la partie qui vous a causé un préjudice. Par exemple, vous pourriez utiliser cette procédure pour vous faire rembourser les électroménagers inclus dans la vente, mais qui avaient disparu lorsque vous avez pris possession de votre maison. J'ai vu un cas où le vendeur avait emporté… les pommiers !

La mise en demeure doit résumer votre point de vue ainsi que la justification du montant que vous réclamez. Vous pouvez aussi, parfois, en cours de processus, vous entendre à l'amiable ou aller en médiation devant un notaire ou un avocat agréé en médiation décernée par son ordre professionnel. Mais soyons réalistes : quand un vendeur commet sciemment une action répréhensible, comme partir avec les électros, je ne pense pas qu'il ait ensuite la sagesse d'accepter votre invitation chez le médiateur…

Si, après l'envoi de votre mise en demeure, il est peu probable d'obtenir un règlement, vous pourrez alors continuer les procédures judiciaires en déposant une demande au greffe du palais de Justice de votre région. La partie défenderesse dispose ensuite de 20 jours pour réagir. Passé ce délai, une convocation en Cour sera envoyée aux parties par le tribunal. Un jugement sera rendu à la suite de l'audience. Enfin, il existe d'autres procédures légales pour s'assurer de l'exécution d'un jugement. Gagner en Cour est une chose, se faire payer par la suite en est une autre.

Les hypothèques légales : attention, danger !

L'hypothèque légale est un mécanisme de garantie des créances des constructeurs et rénovateurs découlant de leurs travaux réalisés dans un immeuble. Cela sous-entend que quelqu'un qui a participé aux travaux n'a pas été payé. Si vous engagez, disons, M. Coulis, poseur de céramique, pour refaire le plancher de l'entrée et qu'une fois que vous l'avez payé, vous conservez une preuve de paiement, vous pouvez dormir tranquille. Les problèmes liés aux hypothèques légales surviennent le plus souvent lorsqu'il y a un intermédiaire, généralement l'entrepreneur général.

Voici la situation la plus fréquente : vous retenez les services de M. Charpente comme entrepreneur général pour qu'il gère les travaux de rénovations. M. Charpente exécute une partie des travaux lui-même avec son équipe, mais fait appel à d'autres intervenants et fournisseurs pour le reste des travaux, dont M. Coulis. Vous payez entièrement M. Charpente pour l'ensemble des travaux qui, terminés, représentent un coût de 50 000 $. Ce paiement global comporte les honoraires et factures de M. Charpente ainsi que ceux de tous les autres intervenants et fournisseurs qu'il doit payer. Le problème survient quand l'argent ne se rend qu'en partie ou même pas du tout aux autres intervenants engagés par M. Charpente.

Imaginons que celui-ci, après avoir reçu vos 50 000 $, a disparu dans la nature sous un cocotier et qu'il a, dans son empressement à faire ses bagages, «oublié» de payer tout le monde avant de partir. Une semaine plus tard, vous trouvez dans votre courrier entre deux factures un avis de M. Coulis, le poseur de céramique, qui vous fait part, comme il se doit, de son intention d'enregistrer une hypothèque légale sur votre maison au Bureau de la publicité des droits. C'est à ce moment que vous apprenez que M. Charpente ne l'a pas payé. Un peu pris de panique, vous appelez Me Alinéa, votre avocat, qui vous informe qu'une hypothèque légale :

- est un privilège enregistré sur votre maison en garantie de paiement ;

- est une procédure pouvant être entreprise par n'importe quel intervenant (constructeur, rénovateur, fournisseur de matériaux, architecte, ingénieur, ouvrier, sous-traitant, etc.) qui n'a pas été payé pour les travaux de construction, de rénovation ou d'amélioration auxquels il a participé, et entraînant une plus-value sur votre propriété ;

- pour être valide, doit être déposée dans un délai de 30 jours suivant la fin des travaux. Me Alinéa vous informe aussi qu'il s'agit d'une date unique établie selon le jour où l'ensemble des travaux prévus aux plans sont terminés. Cela complique les choses, car cette date butoir demeure souvent relativement floue ;

• a préséance sur l'hypothèque assurant une partie du financement consentie par une institution financière, ce qui veut dire qu'en cas de vente M. Coulis serait payé avant l'institution financière ;

• par le biais de son ou ses détenteurs, peut ultimement obliger le propriétaire à vendre sa maison.

En d'autres termes, en qualité de propriétaire, vous pourriez devoir payer à nouveau M. Coulis et tous les autres intervenants mais, cette fois, de façon directe, sans intermédiaire. Cela revient à dire que vous auriez payé en double pour les mêmes travaux, services ou matériaux. Comme toujours, vous avez la possibilité de rétablir la situation en entreprenant des poursuites contre l'entrepreneur général si, bien entendu, celui-ci est « retraçable » et solvable.

La prévention et la prudence restent donc vos meilleures alliées. Pour vous protéger d'éventualités contrariantes, vous pouvez adopter certaines mesures. Voici **6 moyens** de prévention efficaces :

1. *Demeurez vigilant.* Si vous faites faire des travaux de rénovation importants, remettez vos vacances au Nouveau-Brunswick à une autre période et surveillez-en l'exécution.

2. *Payez les travaux effectués en plusieurs versements ou à chacune des étapes.* Ne payez jamais entièrement l'entrepreneur général en un seul versement au début des travaux. C'est de cette façon que les gens se font rouler et ce sont eux qu'on voit se plaindre ensuite à *La facture.*

3. *Retenez un certain pourcentage de la valeur totale des travaux.* Par exemple, 15 % du montant sera payable 30 jours suivant la fin des travaux.

4. *Exigez de l'entrepreneur général des preuves de paiement des intervenants qu'il a engagés :* factures estampillées, reçus, copies de chèque, etc.

5. *Établissez et maintenez une bonne communication avec les intervenants.* C'est *votre* maison, alors ne vous gênez pas pour questionner et vérifier l'état des choses. Demandez aux travailleurs si tout va bien, si les relations sont bonnes.

6. *Si vous le désirez, confiez à un notaire la gestion des fonds afin qu'il puisse effectuer les déboursés nécessaires ainsi qu'un contrôle des sorties de fonds.* Je préfère gérer mes affaires moi-même, mais c'est une question de goût et de personnalité.

Chapitre 9

Les **nouvelles tendances** en immobilier

Ce nouveau siècle est porteur de beaucoup d'avancées dans tous les domaines, y compris l'immobilier. Les intervenants du secteur de l'habitation ont deux grands défis à relever. Le premier est de construire des habitations résistant aux tempêtes et inondations causées par les changements climatiques, tout en étant moins énergivores. Le deuxième : trouver des solutions pour répondre efficacement aux nombreux besoins liés au logement, lesquels découlent de la croissance de la population mondiale.

La protection de l'environnement

Répondant au besoin essentiel de l'être humain de se loger, le secteur de l'habitation doit réagir, s'adapter et trouver des solutions inventives pour préserver l'environnement. Voici quatre secteurs d'innovations écologiques, liées à l'habitation, qui ont pour objectif de réduire la pollution dramatique de notre planète bleue.

L'économie d'énergie

Dans la foulée du mouvement visant à réduire la consommation d'énergie (notamment en matière de construction, d'entretien, de rénovation, de chauffage et de climatisation des résidences), de multiples matériaux et innovations ont vu le jour au cours des dernières années. Parmi la longue liste des réalisations, voici 11 d'entre elles :

• Le chauffage thermique, qui utilise la chaleur de la terre pour chauffer les résidences.

• Les meilleurs isolants offerts sur le marché, dont le plus récent, le Thermofoil, une membrane contenant des bulles d'air et sur laquelle est déposée une mince couche d'aluminium. J'aime ce produit, car il est efficace, léger, facile à installer et abordable.

• La conception d'ouvertures plus efficaces. Pensons entre autres aux fenêtres thermiques.

• L'utilisation de peintures moins foncées afin de réfléchir les rayons du soleil.

• Les techniques d'aménagement paysagé permettant une meilleure climatisation des maisons. Par exemple, on peut planter des feuillus près des maisons afin de les préserver du soleil, ou planter des rangées de conifères pour créer un mur de protection contre les vents dominants en hiver.

• Les résidences orientées vers le sud avec puits de lumière et dotées d'une plus grande fenestration afin de bénéficier au maximum de l'éclairage naturel et de la chaleur du soleil.

• La récupération et l'utilisation des eaux de ruissellement. Par exemple, l'eau du toit peut être récupérée par les gouttières puis être redirigée vers un système d'irrigation pour le jardin, le gazon ou les plates-bandes.

• L'utilisation de matériaux fabriqués à partir de matières recyclées. Ainsi, de vieilles briques peuvent être brisées pour faire du gravier.

- L'isolation avec ballots de paille. Oui, oui, il y a des maisons construites en paille ! Les ballots sont recouverts de mortier, prenant l'allure de grosses briques.

- Les stationnements poreux permettant l'écoulement et l'absorption des eaux de pluie. Avec le climat que nous avons, je prédis une grande réussite à cette invention !

- L'achat de matériaux fabriqués dans la région afin d'encourager l'économie locale tout en minimisant la pollution liée au transport.

Les mesures gouvernementales

Les gouvernements des différents paliers administratifs ont également contribué, jusqu'à présent, à la protection de l'environnement, en mettant sur pied plusieurs agences et programmes liés au secteur de l'habitation.

Au fédéral, 273 programmes subventionnés (dont 66 au Québec) ont bénéficié d'une enveloppe de 5,7 millions de dollars pour, entre autres missions, aider le secteur de l'habitation à devenir plus efficace sur le plan énergétique. Par exemple, en 1998, le fédéral a mis sur pied un organisme, l'Office de l'efficacité énergétique (www.oee.nrcan.gc.ca), qui a pour but premier de diminuer l'émission des gaz à effet de serre. Ce programme de Ressources naturelles Canada attribue des fonds allant jusqu'à 3 348 $ aux propriétaires de maison afin que ceux-ci puissent effectuer des travaux de réfection s'inscrivant dans un projet appelé Rénovation écologique. L'objectif : rendre les résidences existantes moins énergivores. Prêchant par l'exemple, le gouvernement fédéral projette de construire le quart de ses édifices selon les exigences internationales de développement durable.

Pour sa part, le gouvernement du Québec a fondé l'Agence de l'efficacité énergétique (www.aee.gouv.qc.ca), qui a pour mission, *dans une perspective de développement durable, d'assurer la pro-*

motion de l'efficacité énergétique pour toutes les sources d'énergie, dans tous les secteurs d'activité, au bénéfice de l'ensemble des régions du Québec. La province de Québec est souvent citée comme référence en matière d'efficacité énergétique au Canada. Il reste du chemin à parcourir, mais ces initiatives sont encourageantes.

Au municipal, la Ville de Laval a créé un programme qui permet aux résidents de toucher une prime de 50 $ pour chaque arbre planté devant leur résidence, et ce, jusqu'à concurrence de 500 $. Quelle belle mesure écologique ! J'espère que d'autres municipalités suivront rapidement cet exemple.

La maison verte

Contrairement à ce que beaucoup pensent, l'écologie et l'économie ne sont pas incompatibles, bien au contraire. Les entrepreneurs en construction, à l'instar du grand public, sont plus sensibilisés et conscients de la fragilité de l'environnement. On comprend maintenant que des façons de faire ou l'utilisation de matériaux moins coûteux mais plus polluants entraînent des coûts élevés en affectant la santé et l'environnement (traitement des cancers, dépollution, décontamination, etc.). Ainsi, un nombre croissant de gens sont favorables à l'idée de débourser davantage aujourd'hui, dans une certaine mesure, pour obtenir une habitation plus saine et durable, mais aussi plus résistante à long terme. Dans un même ordre d'idées, un immense effort a été fourni par l'industrie afin de créer et de commercialiser des isolants plus performants, durables et résistant entre autres à l'humidité tout en préservant la santé.

À mon avis, cette tendance marquée incite de plus en plus de gens à devenir des propriétaires écologistes. Ceux-ci veulent notamment habiter une maison qui sera moins énergivore (chauffage, climatisation, éclairage, etc.), dont l'entretien sera réduit par l'utilisation de matériaux dits « sans entretien » (bois torréfiés, accessoires en PVC, etc.) ou nécessitant une moins grande consommation d'eau (eau potable et traitement des eaux usées).

En ce sens, je suis toujours enthousiasmé par les initiatives locales, comme la distribution de bacs pour le compostage, l'organisation de corvées de nettoyage des berges des lacs et rivières ou des ateliers de culture biologique du gazon.

La déconstruction

La valorisation des matériaux recyclés ne touche plus uniquement les gens désireux de se construire un chalet pour presque rien. Aujourd'hui, des entreprises spécialisées dans la récupération de matériaux usagés recyclent jusqu'à 90 % de l'acier, 80 % du bois et 40 % de la brique. Par exemple, des poutres de bois sont transformées en meubles, et le ciment, en gravier.

Un exemple de cette tendance à la récupération : une entreprise de la région de Trois-Rivières présente deux estimations de prix à ses clients, une pour la démolition et une autre pour la déconstruction ! Je pense que l'augmentation des coûts d'enfouissement des matériaux utilisés ou une nouvelle taxe en ce sens rendrait la récupération de ces matériaux usagés encore plus intéressante financièrement et, donc, plus répandue. Pour une fois, je penche en faveur de l'instauration d'une nouvelle taxe !

La construction d'une résidence exige une énorme quantité d'énergie et de ressources. Il suffit de penser aux nombreuses étapes avant d'obtenir un madrier à partir d'un arbre : l'abattage, l'émondage, le transport vers la scierie, le planage, parfois une étape au séchoir afin de diminuer le taux d'humidité du bois, le transport vers les centres de distribution, puis à nouveau vers le chantier où, encore une fois, la pièce de bois est taillée sur mesure et fixée. Ouf !

Il ne faudrait pas oublier les efforts de reboisement entrepris par la suite et l'entretien de la forêt, l'irrigation des sols, l'émondage des arbres replantés, les traitements (biologiques) contre les insectes destructeurs, le débroussaillage et, parfois, le travail acharné des pompiers combattant les incendies de forêt. Tout cela représente énormément d'énergie qu'il est possible de récupérer en bonne partie en donnant une seconde vie aux matériaux usagés.

La revitalisation des vieux quartiers

Selon un article du journal *Les Affaires* datant de novembre 2002, dans la ville de Québec, 335 millions de dollars ont été investis afin de redonner une nouvelle vie au quartier Saint-Roch. Il s'agissait d'une initiative mettant le secteur privé à contribution pour 155 millions (103 millions provenaient du secteur public, et 76 millions, de la ville). Près de 4 000 emplois ont été créés grâce à ces investissements, et on prévoit la création de plus de 3 000 emplois supplémentaires d'ici 2005. Il s'agit d'un bel exemple de revitalisation de quartier, comme il en existe sous différentes formes et d'ampleurs variées un peu partout au Québec.

Le condominium en coopérative

La Société d'habitation et de développement de Montréal (SHDM, www.shdm.qc.ca) a élaboré des projets de construction de **condos abordables.** Elle s'est inspirée en partie d'un organisme de Toronto appelé Option for Homes, qui offre des propriétés de 10 % à 15 % moins chères simplement en réduisant les options superflues et en ne prenant que 2 % du coût de la valeur des constructions pour les frais et honoraires. Intéressant, n'est-ce pas ?

La maison intelligente

Le développement des technologies combiné aux nouvelles méthodes de construction a donné naissance aux maisons intelligentes. Dans ces projets de construction, l'accent est en effet mis sur la qualité de l'air, un éclairage approprié aux diverses activités (bureau de travail, salle de lecture, etc.), la réduction des bruits ambiants et une utilisation maximale de la lumière naturelle.

D'un point de vue plus technologique, la maison intelligente peut, avec l'aide d'un ordinateur relié à des capteurs situés un peu partout, moduler au cours de la journée et de la nuit la température et l'éclairage à l'intérieur de chacune des pièces. À l'aide de caméras, les propriétaires de la maison peuvent à tout moment, par Internet, vérifier que tout est normal chez eux pendant leur absence (quelques gardiennes se sont ainsi fait prendre à maltraiter les enfants qui leur étaient confiés). L'ordinateur peut, de plus, noter les messages téléphoniques ou reçus par courriel. D'autres applications déjà connues mais maintenant intégrées, telles que le démarrage automatique de la cafetière ou celui de la cuisinière, entrent dans la conception des maisons intelligentes.

Vous voulez connaître les extravagances de Bill Gates en la matière ? Monsieur Microsoft propose à ses invités de porter une épinglette munie d'un émetteur et d'une puce électronique gardant en mémoire leurs goûts et leurs préférences en ce qui a trait à la chaleur, l'intensité de la lumière, etc. Par l'entremise de capteurs dissimulés à divers endroits, l'ordinateur central peut lire l'information contenue dans la puce électronique et ainsi reconnaître chacune des personnes qui entrent dans la maison ou dans la pièce.

Ainsi, les invités de M. Gates et les membres de sa famille se voient souhaiter la bienvenue. Une atmosphère musicale adaptée aux goûts de chacun est aussi créée. Plus besoin d'allumer la lumière lorsqu'ils entrent dans une pièce : l'ordinateur s'en charge. Aucune lumière ne reste allumée inutilement derrière eux non plus. La température des pièces est automatiquement ajustée aux besoins et préférences de leurs occupants. De plus, la seule sonnerie qui se fait entendre est celle du téléphone situé dans la pièce où le destinataire de l'appel se trouve. M. Gates a également fait munir certains murs de sa demeure de nombreux écrans plasma qui diffusent, toujours selon les préférences de chacun, les peintures, photos ou paysages favoris de ses invités. Quand la technologie s'emballe…

Habitat pour l'humanité

Habitat pour l'humanité est un organisme à but non lucratif qui a pour mission d'offrir des maisons à des familles dans le besoin. Le principe est simple : bâtir des maisons en partenariat avec des familles choisies, leur vendre ces maisons sans profit et leur accorder un prêt hypothécaire sans intérêt. Si les institutions financières pouvaient en faire autant, on serait tous propriétaires de maisons et condos payés en moins de deux ! De plus, seul le capital nécessaire à l'achat du terrain et des matériaux de construction doit être remboursé. Aucune mise de fonds ni dépôt minimum ne sont demandés. Selon les critères d'Habitat pour l'humanité, les maisons doivent être simples, présentables et abordables. Toutes les familles qui désirent une maison doivent fournir au moins 500 heures de *transpiraction* en participant à la construction ou aux comités de bénévoles. Au Canada, cette organisation compte 55 filiales (www.habitat.ca).

Par le biais de cette organisation fondée en 1976 par Millard et Linda Fuller à Americus, en Géorgie, plus de 125 000 maisons ont été construites bénévolement jusqu'à ce jour. Il existe 1 900 filiales d'Habitat pour l'humanité réparties dans 125 pays à travers le monde. Toute une réussite !

 # La **Terre** est **toute petite**

Ça y est, vous êtes propriétaire ! Félicitations et encore bravo ! Vous avez réussi à convaincre le vendeur de baisser son prix de 8 000 $. Vous habitez le quartier que vous avez sillonné pendant des mois. En plus, vous avez obtenu de votre institution financière une légère diminution de taux. Wow !

D'ailleurs, à bien y penser, vous vous demandez pourquoi ce fichu taux n'est pas toujours aussi bas qu'il le devrait. Devinez quoi : la réponse se trouve en bonne partie dans les événements qui se produisent un peu plus loin sur le globe. Voilà pourquoi, même si vous ne consultez plus les petites annonces, vous devriez renouveler l'abonnement à votre journal quotidien.

Pourquoi les Chinois veulent-ils la même chose que nous ?

Quand Napoléon a appris qu'il n'avait plus le contrôle de la ville de Madrid, en Espagne, sa réaction — en bon empereur qui ne veut surtout pas perdre la face — a été de demander : « Qui est au courant ? » Et son émissaire de lui répondre : « Tout le monde, sauf le tsar de Russie. Les nouvelles mettent plus de temps à se rendre à Moscou. »

Aujourd'hui, les règles du jeu ont changé. Grâce aux téléphones cellulaires, aux satellites, à Internet et à ses applications (notamment le courrier électronique), il est devenu très simple de communiquer. C'est l'ère du village global, de la nouvelle économie, de l'information. L'ère de l'instantané.

Par conséquent, les événements locaux ou mondiaux ont rapidement des répercussions directes ou indirectes sur certains facteurs. Il est bon de prêter attention à ce qui se passe sur notre petite planète pour tenter de prévoir l'incidence que cela peut avoir sur un budget. Voyons un exemple.

LE PÉTROLE MONTE, LES TAUX D'INTÉRÊT AUSSI

Bien qu'elle se produise à l'autre bout du monde, une crise du pétrole, comme celle qui a sévi au début des années 70, a bel et bien des répercussions de ce côté-ci de la planète… et pas seulement à la station-service !

Observons quelques-unes des conséquences qu'elle aurait sur le budget d'un couple de Québécois désirant acheter une première maison. Ce couple, après avoir évalué ses besoins en matière d'habitation et choisi un secteur, étudie la viabilité de son projet. Chemin faisant, il se rend compte que quatre facteurs incontournables influent grandement sur le prix de la maison convoitée.

L'effet domino ou les contrecoups de la crise du pétrole

1. La mise de fonds
D'accord, on entend dire de plus en plus qu'on peut acheter une maison sans verser de paiement initial. Cela dit, croyez-moi, la mise de fonds demeure la pierre angulaire de l'acquisition d'une propriété. Dans notre exemple, lorsque le prix du pétrole augmente, cela entraîne une hausse du coût de transport des matériaux, qui coûtent plus cher à produire et à transporter du lieu de production jusqu'au chantier. Et les

ouvriers, pour leur part, ne se rendent pas au travail à vélo (en général), donc il leur en coûte plus cher à eux aussi pour se déplacer. C'est pourquoi ils exigent une augmentation de salaire.

Le même principe s'applique au cordonnier, à l'épicier et à tous les autres travailleurs, incluant notre couple vedette. Comme tout le monde demande une augmentation de salaire, les prix de tous les produits et services augmentent. À la fin, notre couple a une mise de fonds plus petite, car ses économies sont restées les mêmes alors que le prix de la maison, lui, a monté en flèche. Voilà peut-être pourquoi les institutions financières ont mis sur pied le programme Zéro comptant.

2. Les frais généraux de la transaction
Si tout le monde réclame une augmentation de salaire, cela veut dire que tous les spécialistes dont ils auront besoin pour conclure la transaction, comme le notaire, l'évaluateur, l'inspecteur, etc., coûtent aussi plus cher. Et puisque la maison a pris de la valeur, la commission de l'agent d'immeubles et la taxe de mutation représentent des montants plus élevés. Maudit pétrole !

3. Les coûts d'entretien de la propriété
Tout coûte plus cher. La peinture, les produits écologiques pour la piscine, le poseur de papier peint, les arbustes, le tapis, le râteau à remplacer parce que monsieur a cassé le sien sur la clôture en essayant de faire peur au chat du voisin, qui prenait la plate-bande pour sa litière, bref, tout, tout coûte plus cher !

4. Les intérêts et le capital à rembourser
C'est la cerise sur le gâteau. Comme tout a augmenté, la maison — qui est en somme l'accumulation de toutes ces choses qui, une fois mises ensemble, forment une maison — coûte donc plus cher. Puisque sa mise de fonds est demeurée la même, notre couple devra obtenir un plus gros prêt hypothécaire, aura plus de capital à rembourser et paiera aussi plus d'intérêts.

La situation économique au Québec

Dans un même ordre d'idées, plusieurs facteurs propres à l'économie québécoise peuvent avoir un impact sur l'accès à la propriété.

Par exemple, la baisse du chômage augmente la masse monétaire dont disposent les contribuables, ce qui leur permet de se transformer en consommateurs. Ils font rouler l'économie, y compris le secteur immobilier, qui profite alors de l'augmentation des mises en chantier, de l'engouement pour la rénovation, de l'arrivée de nouveaux acheteurs, etc.

Par ailleurs, l'amélioration des finances d'individus partageant, pour des raisons économiques, un même logement aura permis à certains d'aller vivre seuls, ce qui contribue à aggraver la pénurie de logements, avec pour conséquence l'augmentation du prix des loyers. L'accroissement des revenus de location améliore alors la rentabilité des immeubles locatifs, et augmente donc le prix de ces derniers. La hausse de la valeur des immeubles fait ensuite croître la valeur de l'ensemble des biens immobiliers.

L'augmentation du prix des loyers a également pour effet de réduire la différence entre le prix d'un logement et un paiement hypothécaire pour une résidence, ce qui incite les locataires à acheter une propriété. Ce dernier facteur, combiné à l'amélioration de la santé financière des ménages, détermine une hausse de la demande de propriétés, autant sur le marché des maisons existantes que sur celui des maisons neuves ou des condos. Le marché immobilier est dit équilibré lorsque le ratio acheteurs-vendeurs est de 1 pour 10.

Les facteurs d'influence économique

L'acheteur d'une première maison est un peu comme un navigateur qui entreprend la traversée de l'océan sur un voilier. C'est une belle aventure, mais, pour réussir, il doit bien connaître les courants marins et les vents. Voici quelques éléments à retenir pour faire un bon et beau voyage dans le merveilleux monde de l'immobilier...

Le rôle de la Banque du Canada

La Banque du Canada assume plusieurs rôles importants sur le plan financier, et ses décisions ont un impact sur l'accès à la propriété, tant au Québec qu'au Canada. La mission de cette institution est de mettre en place et de gérer les politiques monétaires pour l'ensemble du Canada. Assurer un bon niveau de vie au pays est en quelque sorte sa raison d'être.

Ses deux principaux objectifs sont :

1. maintenir une monnaie solide face aux devises étrangères ;

2. contrôler le taux d'inflation, qui doit être idéalement bas et stable (entre 1 % et 3 % par an).

Afin d'atteindre ces objectifs, la Banque du Canada agit sur divers facteurs économiques en ajustant le taux d'intérêt (appelé aussi taux directeur ou prime) suivant le taux d'inflation. Si l'inflation augmente, la Banque du Canada, afin d'éviter une surchauffe de l'économie et un emballement du prix des biens et des services, réduit l'accès des particuliers et des entreprises au crédit en relevant son taux directeur. Elle limite ainsi les investissements et les dépenses de consommation.

Par contre, si l'inflation est très basse, ce qui peut entraîner un ralentissement de l'économie, elle revoit à la baisse son taux directeur afin d'inciter les ménages et les entreprises à dépenser. Elle favorise ainsi la reprise économique.

La devise canadienne

La devise de chaque pays est soumise à la loi de l'offre et de la demande. Plus la confiance en une devise est grande, plus celle-ci est en demande, et plus sa valeur relative (par rapport aux autres monnaies) augmente.

L'un des objectifs de la Banque du Canada étant de maintenir une devise forte en jouant sur le taux directeur (sans nuire aux exportations), les fluctuations du dollar canadien a donc un impact sur l'accès à la propriété.

Cependant, avoir une devise forte comporte certains inconvénients, en particulier au Québec, où l'économie dépend beaucoup de l'étranger. En effet, une monnaie solide entraîne une augmentation des coûts pour les clients internationaux désirant acheter les produits et services québécois.

Un dollar trop fort nuit donc à notre économie en réduisant nos exportations. Par contre, les produits et services venant de l'étranger sont dans ce cas moins chers. Les entreprises en profitent alors pour effectuer des investissements, notamment en modernisant leurs installations et leur équipement.

Mais le fait d'importer beaucoup peut aussi réduire la balance commerciale (exportations-importations) ou rendre cette dernière déficitaire. Cette situation entraîne une perte de devises, ce qui ralentit l'économie intérieure.

Le taux de chômage

Il est évidemment difficile, voire impossible, pour un chômeur d'obtenir le financement nécessaire à l'achat d'une maison. Les institutions financières, comme la majorité des entreprises, n'aiment pas le risque et elles ont tendance à privilégier les clients ayant une situation financière stable, ce qui n'est pas le cas d'un chercheur d'emploi.

Un taux de chômage élevé peut, à moyen et à long terme, provoquer une stagnation, voire une diminution des prix dans le secteur immobilier. Un nombre important de chômeurs a pour effet de diminuer la demande de maisons et de faire augmenter le nombre de dossiers en recouvrement pour les propriétaires d'immeubles, ce qui affecte la valeur des édifices.

Inversement, et comme nous le voyons depuis la fin des années 1990, un taux de chômage relativement bas provoque une augmentation de la demande de résidences et fait grimper le prix des maisons.

Les taux d'intérêt

Les acheteurs d'une première maison accordent une grande importance aux taux d'intérêt, qui sont fixés au moment de l'achat. Cette variable a un impact considérable sur un budget familial. Un taux d'intérêt hypothécaire bas favorise l'accès à la propriété, mais entraîne une hausse du prix des propriétés, puisque la demande immobilière augmente.

Il est important de souligner ici que beaucoup de gens profitent de la baisse des taux d'intérêt pour acquérir une résidence. Ils ne doivent cependant pas oublier que ces taux finissent toujours par remonter et que cela signifie un important réajustement du budget familial. Les paiements hypothécaires ne laissent aucune marge de manœuvre à certaines familles, et ce, même lorsque les taux d'intérêt sont très bas. Comment feront-elles pour honorer leurs engagements financiers lorsque les taux remonteront ?

La démographie

La démographie, science qui étudie les changements au sein d'une population, est importante dans le domaine de l'immobilier, toujours soucieux de prévoir les besoins en habitation. Au Canada et au Québec, malgré un taux de natalité très bas, la population croît, grâce notamment à une amélioration de l'espérance de vie et à l'immigration (voir www.statcan.ca).

Ainsi, la demande de logements est constante, ce qui pousse la valeur des biens immobiliers à la hausse. Notre société, qui favorise également beaucoup l'individualisme, donne à chacun la possibilité, tant économique que morale, de vivre seul. Cette situation entraîne une augmentation de la demande de maisons et, donc, des prix.

L'inflation

L'inflation concerne la hausse du prix des biens et des services qui sont produits dans un pays. L'indice des prix à la consommation (IPC), résultat de la comparaison d'une série de biens d'usage courant sur une période donnée, détermine la variation de prix de ces biens dans le temps.

En cas d'inflation, cette variation indique une hausse. Une inflation faible et contrôlée est bonne pour l'économie. Cela veut dire que le prix des biens et des services demeure stable. Mais lorsque la demande augmente trop rapidement par rapport à l'offre, il en résulte, par exemple, une certaine rareté des immeubles à vendre ainsi qu'une flambée des prix, ce qui provoque davantage d'inflation.

Quand une politique monétaire et de contrôle des prix ne parvient pas à maîtriser l'inflation, les économistes parlent de spirale inflationniste. Il s'agit d'un effet en spirale où, le prix des matières premières augmentant, les produits finis doivent obligatoirement être vendus plus

chers. Les salaires, ne suffisant plus à assurer un niveau de vie acceptable, doivent alors être relevés, ce qui accroît les coûts de fabrication et
de transformation, et donc le prix des services. Et ainsi de suite.

Afin de freiner l'inflation, la Banque du Canada élève ses taux et
rend ainsi le crédit plus coûteux. Il est donc conseillé au nouvel
acheteur de prévoir une hausse des taux d'intérêt afin de demeurer
en mesure d'honorer ses obligations au moment du renouvellement
de son hypothèque.

Signalons que l'inflation entraîne aussi l'augmentation de la valeur
des propriétés (ou appréciation), ce qui n'est pas pour déplaire aux
propriétaires. Mais cela rend l'accès à la propriété plus difficile pour les
acheteurs qui arrivent sur le marché.

L'INFLATION, ICI ET AILLEURS

En jetant un coup d'œil au tableau suivant, on peut remarquer que l'inflation allait bon train dans les années 1970, ce qui a contribué à la crise
économique de 1982 ; cette année-là, beaucoup de propriétaires ont
perdu leur maison à cause de l'explosion des taux d'intérêt, qui ont
alors grimpé jusqu'à 23 % !

Le taux d'inflation annuel (%) de quelques pays industrialisés

	1970-1980	1980-1990	1990-2000	1999	2000	2001
États-Unis	7,8	4,7	2,8	2,2	3,4	2,8
Canada	8,0	5,9	2,0	1,8	2,7	2,5
Japon	9,0	2,1	0,8	-0,3	-0,8	-0,7
Royaume-Uni	13,7	6,0	3,3	2,3	2,1	2,1
Allemagne	5,1	2,6	2,3	0,7	2,1	2,4
France	9,6	6,3	1,8	0,6	1,8	1,8

Source : L'état du monde 2003

Les projections pour le marché immobilier

Tous les spécialistes et les analystes économiques s'entendent pour dire que les projections économiques au Canada sont bonnes et devraient le demeurer à court et à moyen terme. Les gouvernements ont réussi, jusqu'à maintenant, à équilibrer les finances publiques et à éliminer les déficits qui, année après année, gonflaient la dette. Celle-ci représente une part de plus en plus faible du produit intérieur brut (PIB), qui est la somme de tous les biens et services produits dans un pays en une année.

Ce fait, conjugué au remboursement annuel de la dette globale, réduit donc progressivement le ratio d'endettement public (dette/PIB), ce qui favorise l'obtention de cotes de crédit plus avantageuses et permet à la collectivité d'économiser sur les taux d'intérêt consentis aux gouvernements par leurs créanciers. Espérons que nos dirigeants réussiront à maintenir ce cap !

Le marché immobilier devrait également profiter, au cours des prochaines années, de l'augmentation des salaires, du maintien des taux d'intérêt à un bas niveau et du contrôle de l'inflation. À cela il faut ajouter un fait simple mais incontournable : il ne se « crée plus de terrains ». Cette expression, utilisée dans le domaine de l'immobilier, signifie que l'offre est limitée par l'espace dont la collectivité dispose. Cela ne peut que favoriser une augmentation des prix à long terme ou, du moins, assurer leur maintien.

Enfin, les derniers facteurs influençant positivement la valeur des biens immobiliers : l'espérance de vie croissante et le désir de vivre longtemps chez soi, ce qui est particulièrement vrai pour les baby-boomers.

Comme vous venez de le voir, la décision d'acheter une propriété est un choix personnel influencé en partie par un certain nombre de facteurs externes. Mais peu importe ce qui se passe dans le monde et à quelle vitesse ces événements nous sont rapportés, chaque année, des milliers de gens deviennent tout de même propriétaires au Québec (et partout dans le monde)! D'ailleurs, il arrive souvent aussi que ces facteurs jouent en votre faveur… Dans ce contexte, acheter une maison, ce n'est pas la mer à boire !

De plus, la Banque du Canada est une alliée qui, par ses interventions, veut faire en sorte, entre autres, que vous puissiez devenir propriétaire et le demeurer. À cela s'ajoutent des projections concernant le marché immobilier, qui semble assez favorable en ce moment. Tout pour donner espoir, quoi !

Conclusion

Nous voici arrivés à la croisée des chemins. Notre expérience commune se termine ici, alors que commence véritablement votre aventure. En écrivant ce livre, je me suis efforcé de transmettre une information claire, précise et complète, qui vous épargnera, je l'espère, bien des erreurs et des maux de tête. J'ai également voulu démontrer, en partageant mon expérience, qu'il est possible de réaliser ses rêves, quels qu'ils soient, à condition de persévérer dans ses efforts.

Au fil de vos démarches (établir votre budget, choisir un secteur, un type d'habitation en particulier ou les professionnels de l'immobilier dont vous vous entourerez), **rappelez-vous que votre intuition est votre meilleur guide.** Cet agent est réputé, il a vendu des tonnes de propriétés, il connaît le secteur comme le fond de sa poche… mais vous n'avez aucune affinité avec lui ? Trouvez-en un autre ! Cette maison est dans le quartier convoité, elle a la taille requise et la cour paysagée dont vous rêviez… mais vous ne vous y sentez pas à l'aise ? Tournez les talons et poursuivez votre recherche.

Je suis persuadé que vous pouvez acheter une propriété, si tel est votre désir sincère. Par-dessus tout, vous devez y croire et vous faire pleinement confiance. Il suffit d'avoir un rêve précis à partir duquel vous pouvez élaborer des plans pour passer du désir à la réalité, du statut de locataire à celui de propriétaire, de la lecture à… l'action !

Fixez-vous un but, visualisez sa réalisation et mettez tout en œuvre pour l'atteindre.

Bon succès !

Petit **lexique**
de droit immobilier

Acompte: Montant versé au vendeur dans le but de démontrer sa bonne foi et conserver sa priorité d'achat. Peut également être versé à l'entrepreneur, souvent à la demande de ce dernier, avant le début des travaux.

Certificat d'achèvement: Document signé par le client à la fin des travaux et qui atteste de son entière satisfaction. Ce document libère donc l'entrepreneur.

Créancier: l'institution financière ou tout autre prêteur.

Débiteur: l'emprunteur, celui qui doit effectuer les remboursements.

Défaut: Manquement de la part de l'emprunteur à l'un de ses engagements.

Devis: document décrivant avec précision les travaux à effectuer, les matériaux qui seront utilisés ainsi que les différents coûts.

Retenue de garantie : montant conservé par le client et retenu au cours des travaux afin de garantir la qualité de ceux-ci en cours de chantier, à chacune des étapes.

Quittance : document signé par le prêteur et remis à l'emprunteur lorsque le prêt enregistré a été intégralement remboursé.

Servitude : droit d'accès ou de passage et quelquefois même d'utilisation du terrain d'un autre propriétaire.

 # Références

Journal Les Affaires

Bourassa, Martin. *Combien vaut l'environnement de votre maison ?*, 2 mars 2002.

Dubuc, André. *Le salut des agents immobiliers passe par la formation*, 20 avril 2002, p. 46.

Dubuc, André. *Les maisons neuves coûtent plus cher*, 26 octobre 2002, p. 83.

Dubuc, André. *Propriétaires résidentiels : libérez le trésor*, 19 juillet 2003, p. 5.

Jolicoeur, Martin. *Le manque de relève menace les acquis de Québec Inc.*, 29 juin 2002, p. 3.

Noël, Kathy. *Le quartier Saint-Roch sort enfin des soins intensifs*, 2 novembre 2002, p. A9.

Livres et parutions

Revue *Protégez-vous*, février 2004.

Revue *Vos finances personnelles et familiales*, été 1998, volume 3, numéro 3.

Publication SCHL, *Vous envisagez acheter une maison ?*.

Publication SCHL, *L'achat d'une maison*, 1998.

Publication RBC Banque Royale, *Le guide de l'acheteur d'une première maison*, mars 2003.

Publication RBC Banque Royale, *Nouvelles hypothécaires*, 2002.

Publication RBC Banque Royale, *Rénover sa maison*, mai 2002.

Publication RBC Banque Royale, *Guide des hypothèques résidentielles*, février 2002.

Publication RBC Banque Royale, *L'achat d'une maison*, février 2002.

La Charte des droits et libertés : Les libertés fondamentales, par K. Douglas et M. Dunsmuir, ministre des Approvisionnements et Services Canada, 1994.

Charte des droits et libertés de la personne, L.R.Q.

Code civil du Québec, disposition préliminaire.

Loi sur le courtage immobilier, L.R.Q.

Allen, Robert G. *Acheter une maison sans cash*, Les Éditions Quebecor, Montréal, Québec, 1986.

Bolduc, Marie. *Paroles de lumière*, Les Éditions Le Dauphin Blanc, Loretteville, Québec, 1992, p. 92.

Desrosby, Rosaire. *En route vers le succès*, Les éditions Un monde différent, Québec, 1994.

Gates, Bill. *La route du futur*, Les Éditions Robert Laffont, 1995.

Hill, Napoléon. *Réfléchissez et devenez riche*, Le Jour Éditeur, 1988.

Millman, Dan. *La voie du guerrier pacifique*, Éditions du Roseau, Québec, 1994.

Templeton, John Marks. *Le plan Templeton*, Les éditions Un monde différent, Québec, 1988.

Sites Internet

Affaires municipales : Programme de renouveau urbain et villageois
www.mamm.gouv.qc.ca/infrastructures/infr_reno.htm

Association de la construction du Québec (ACQ)
www.acq.org

Association des consommateurs pour la qualité dans la construction
www.consommateur.qc.ca/acqc

Association des courtiers et agents immobiliers du Québec (ACAIQ)
www.acaiq.com

Association des inspecteurs en bâtiments du Québec
www.aibq.qc.ca

Association des propriétaires du Québec (APQ)
www.apq.org

Association des propriétaires et des administrateurs d'immeubles
du Canada (BOMA Canada)
www.boma-quebec.org

Association patronale des entreprises en construction du Québec (APECQ)
www.apecq.org

Association provinciale des constructeurs d'habitations du Québec (APCHQ)
www.apchq.com

Banque Laurentienne
www.banquelaurentienne.com

Banque Nationale
www.bnc.ca

Barreau du Québec
www.barreau.qc.ca

Caisses populaires Desjardins
www.desjardins.com

Chambre des notaires du Québec
www.cdnq.org

Commission de la construction du Québec (CCQ)
www.ccq.org

Corporation des propriétaires Immobiliers du Québec (CORPIQ)
www.corpiq.com

Gaz Métropolitain
www.gazmetro.com

GE Capital
www.gehypotheque.ca

Hydro-Québec
www.hydroquebec.com

Institut canadien de l'immeuble
www.reic.ca

Institut de développement urbain du Québec (IDU)
www.iduquebec.com

La garantie Qualité-Habitation
www.qualitehabitation.com

Office de la protection du consommateur
www.opc.gouv.qc.ca

Ordre des architectes du Québec
www.oaq.com

Ordre des arpenteurs-géomètres du Québec
www.oagq.qc.ca

RBC Banque Royale
www.rbcbanqueroyale.com

Régie du bâtiment du Québec
www.rbq.gouv.qc.ca

Régie du logement du Québec
www.rdl.gouv.qc.ca

Société canadienne d'hypothèques et de logement (SCHL)
www.schl.ca

Société d'habitation du Québec
www.shq.gouv.qc.ca

Société québécoise des manufacturiers d'habitations (SQMH)
www.apchq.net/sqmh

Statistique Canada
www.statcan.ca

Recherche d'une propriété
www.clicmaison2000.com
www.propriodirect.com
www.directduproprio.com
www.gomaison.com
www.sia.ca   (SIA en direct)

Informations générales
www.guidesperrier.com
www.habitation.com
www.lecarrefourimmobilier.com

Calculateur de la capacité d'emprunt
www.desjardins.com/fr/simulateurs/maison_permettre/maison.htm

Formulaire d'offre d'achat
www.directduproprio.com/offreachat.asp

Le Journal immobilier virtuel

Soyez à la fine pointe de l'information immobilière
en vous inscrivant sans frais au *Journal immobilier virtuel*

Recevez chaque mois par courriel
toute l'information touchant le monde de l'immobilier :

> ➤   Dernières nouvelles immobilières

> ➤   Projets résidentiels futurs

> ➤   Maisons saines

> ➤   Trucs écologiques à la maison

> ➤   Nouvelles énergies domestiques

> ➤   Tendances d'avenir en immobilier

> ➤   Investissements immobiliers

Ne manquez rien ! Abonnez-vous gratuitement.

Formulaire d'inscription en ligne sur le site
www.martinprovencher.com

www.martinprovencher.com

Renseignez-vous en ligne sur :

◎ les conférences gratuites, générales ou corporatives, présentées par Martin Provencher

◎ les ateliers de formation en investissement immobilier

◎ la consultation en entreprise (consultantpme@hotmail.com)

Notre site Internet est une réalisation de :

Acolyte Communication
491, rue Bonaventure, Trois-Rivières (Québec) G9A 2B6
Téléphone : (819) 378-4242 • Télécopieur : (819) 378-6398
www.acolytecommunication.com

Les conférences

Vous avez besoin d'un conférencier dynamique ? Communiquez avec nous ! Nous offrons des conférences corporatives ou grand public.

CONFÉRENCE IMMOBILIÈRE

Démystifiez le processus d'achat d'une première maison.

- Acheter une maison est un formidable projet de vie !
- Vérifier la solidité de ses finances personnelles
- Bien choisir son secteur d'habitation
- Le génie qui vous offre la maison idéale… à quoi ressemble-t-elle ?
- Les principes et techniques de négociation
- Le financement hypothécaire
- L'entretien et la rénovation
- Les aspects légaux
- L'importance de la protection de l'environnement dans le secteur de l'habitation

Surveillez les dates sur le site **www.martinprovencher.com**

CONFÉRENCE DE MOTIVATION (en entreprise seulement)

« Il faut suivre son instinct et provoquer des choses par l'action. Obtenir ce que l'on veut de la vie, c'est possible… Ne faites dans la vie que ce qui vous passionne et passionnez-vous pour tout ce que vous faites ! »
Martin Provencher

Les épreuves ont aidé Martin Provencher à forger sa philosophie du succès. Par son énergie contagieuse, il saura insuffler à vous-même et à vos collaborateurs le goût du dépassement et la confiance en soi nécessaire pour atteindre ses objectifs.

Son message est rempli d'espoir, simple et dynamisant. Reflétant sa détermination, sa devise est : cessez d'avoir peur et faites le saut !

Contactez-nous : **www.martinprovencher.com** ou **819 294-1164**

Deux secteurs chauds :
la santé et l'environnement

De plus en plus de gens sont soucieux de leur santé, de ce que contient leur assiette, de la qualité de l'air qu'ils respirent et de l'environnement en général.

Comme eux, nous nous intéressons de près à tout ce qui touche la sauvegarde de notre environnement et plus particulièrement à la maison saine. Les demeures sont mieux isolées que jamais. Formidable d'un point de vue énergétique, mais pas nécessairement réjouissant sur la plan de la santé : en fait, si nous ne prenons pas soin d'éliminer les produits chimiques qui se trouvent à l'intérieur de nos maisons, elles peuvent se transformer en « prisons toxiques ».

Ces sujets vous intéressent ? Vous vous préoccupez des maladies environnementales ? Vous aimeriez en savoir plus sur les différentes options possibles ?

Contactez-nous : **consultantpme@hotmail.com** ou **819 294-1164.**

Transcontinental
IMPRESSION
IMPRIMERIE GAGNÉ

IMPRIMÉ AU CANADA